Q&A で簡単

家づくりの
お金の話が
ぜんぶわかる本

2025

田方みき
関尾英隆

CONTENTS

第4章　住宅ローンの基礎知識

第5章　自分に合った住宅ローンの借り方・返し方

第6章　家が完成したあとに払うお金・もらえるお金

編集・執筆 田方みき、関尾英隆　デザイン・イラスト 梶谷聡美
第2章実例提供 あすなろ建築工房（神奈川県横浜市　https://www.asunaro-studio.com/）
組版 ユーホーワークス　印刷・製本 シナノ書籍印刷

家づくりを始める前に知っておきたい

家づくりにかかる
お金の基礎知識

「そろそろ家を建てよう」と思っていても、住宅会社や建築家探し、資金計画など、はじめてのことばかりで「何から始めればいいのだろう」という人も多いはず。第1章では、知っておきたい基礎知識を学んでいきましょう。ここから家づくりの第一歩が始まります。

お金の疑問・不安に答えます

家づくりにかかるお金や住宅ローンについて 早めに知っておきましょう

　「そろそろ家を建てようかな」と考え始めたときに、避けて通れないのが「お金」のこと。「家っていくらあれば建つんだろう」「自分は住宅ローンをいくら借りられるんだろう」「借りた後、ローン返済が家計の負担にならないかな……」など、はじめての家づくりの場合はとくに、お金についての不安や疑問がたくさん出てくるはず。満足度の高い家づくりにするには、こうしたお金の不安や疑問をそのままにせず、早めに解決しておくことが大切です。この本で、Dr. コストといっしょに勉強していきましょう。

家づくりのお金のことなら
おまかせください！

家づくりを始めてから
「予算をオーバーしてしまった」
「住宅ローンの借り方に失敗したかも」
なんて、お金のことで後悔しないよう
いっしょに勉強していきましょう。

Dr. コスト | 家づくりに関わるお金のことなら
なんでも知っている頼りになる博士

家づくりには
どんなお金がかかるの?

本体工事費、別途工事費、諸費用の他、
土地の取得費がかかります

　家づくりにかかるお金は、本体工事費や別途工事費といった「建築費」だけではありません。税金や手数料などの「諸費用」が全体の10%程度かかります。そして、土地を購入して建てる場合は、さらに「土地取得費」が必要。また、建築後にはメンテナンス費や光熱費など維持費を含めたライフサイクルコストで考えることが大切です。

　家づくりの「予算」は貯金額や年収、家計の事情などから設定しますが、上限は借入額と自己資金の合計。家づくりのコストは予算の上限を超えないよう調整しましょう。

　住宅会社にプランの見積もりを依頼する際には、建築費の予算ではなく「家づくりの総予算が○○万円です」と、予算に土地取得費や諸費用などが含まれていることを伝えることで、予算オーバーを回避することができます。

ここが大切!

住宅の建築にかかるお金には、大きく分けて本体工事費と別途工事費がある。別途工事費は解体工事や外構工事など。別途工事費に含まれる工事項目は、住宅会社によって異なるので要確認。

住宅会社によっては、諸費用の概算を見積書に入れてあるところも。依頼先から見積書をもらった際には、見積金額には何が含まれているのか、他に必要なコストはないかを確認しよう。

予算を増やすために、手元にある預貯金をすべて家づくりの自己資金にするのは危険。万が一の病気や今後予定されている出費に備えて、安心できる金額は残しておくようにしたい。

建築コスト＋土地取得費は予算範囲内で

予算　

建築コスト　

土地取得費　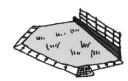

自己資金
借入金

諸費用 10%程度
別途工事費 15〜20%程度
本体工事費 70〜75%程度

＋

諸費用 5〜6%程度
土地代 94〜95%程度

住宅取得のために使える手元にあるお金と、住宅ローンなどの借り入れの合計が「予算」

家づくりには本体工事費や別途工事費の他、諸費用もかかる。別途設計費、監理料がかかる場合も

土地を買って家を建てる場合は、土地の取得費もかかる

KEYWORD

ライフサイクルコスト

住宅のライフサイクルコストは、建物の完成から、将来的に解体するまでにかかる総費用のこと。建築費などのイニシャルコストだけでなく、メンテナンス費や解体費用なども含まれる（72頁）。

9

Question 02

別途工事費って何？
いくらくらいかかるもの？

本体工事には含まれない工事のこと。
建築費の15〜20％程度が目安です

　住宅会社に見積もりを依頼すると、建物本体を建てるための「本体工事費」と、それに含まれない「別途工事費」に分かれているケースが一般的。地盤の補強など不確定要素が多い項目や、上下水道引き込みなど役所がかかわる項目、住宅会社ではなく、施工会社に直接支払いが発生する項目などが、本体工事とは切り離されて別途工事費に分類されます。

　別途工事にはどんな項目が入れられるのか、見積金額に含まれているかは住宅会社によって扱いが違います。また、支払い方法も、施主が工事の都度、直接施工会社に支払う場合もあれば、住宅会社によっては概算金額を預けておき、引き渡し時に精算するケースもあります。別途工事費は、建築コストの15〜20％程度というまとまった金額ですから、見積金額に含まれているのかいないのかを早めに確認しておき、あとで思わぬ出費に大慌て、ということのないようにしましょう。

ここが大切！

住宅会社の広告などで「本体価格○○万円」と表記されている金額には、別途工事費が含まれていない場合も多い。別途工事費には建築コストの15〜20％程度がかかると覚えておこう。

「別途工事」は「付帯工事」と表記される場合もあり、含まれる工事項目は会社によって違ってくる。見積書をもらって、工事項目や支払い方法について疑問があれば遠慮なく確認すること。

軟弱地盤の場合の地盤補強費や、水道管の引き込み工事費は土地の条件によって費用に大きな差が出てくる。見積金額から変動する場合、いくらくらいの違いが出てくるかの目安を聞いておこう。

別途工事に含まれる主な工事項目

《給排水衛生設備工事》

給水メーターから水栓までの給排水、設備設置にかかわる工事。水道設備会社が施工

《電気設備工事》

電灯、スイッチ、コンセント、インターホンなどの配線・配管や機器取り付け工事。電気設備会社が施工

《ガス工事》

ガスメーターからガス栓までの配管にかかわる工事。引き込みはガス会社が無償で行う場合もある

《上下水道引き込み工事》

給排水管の引き込み工事。自治体が指定した水道設備会社が施工する。土地の条件でコストが大きく変わる

《外構工事》

ガーデニング会社や外構専門の会社が施工する。建物と同じ建築会社の施工でも別途契約が多い

《照明器具工事》

照明器具の購入費やその取り付けにかかる工事費用などは別途工事に算入されることが多い

《空調設備工事》

エアコン用のコンセントは本体工事だが、エアコンの機器代と取り付け工事費は別途工事扱いが多い

《カーテン工事》

カーテンやカーテンレール、ブラインドなどの設置は、基本的に別途工事扱いになる

《解体工事》

建て替えの場合や購入した土地に古家が残っている場合は、解体費用と撤去処分費用がかかる

《地盤補強工事》

軟弱な地盤の場合に行われる。支持層までの深さと地盤補強の方法でコストは大きく違ってくる

《防犯設備工事》

防犯警備のための機器設置費用。センサーや操作盤などの機械警備設備は警備会社が施工

KEYWORD

上下水道引き込み工事費

公道から敷地まで給排水管を引き込むための工事は、水道本管の位置や深さ、道路の舗装の仕様によってコストが違ってくる。また、自治体によっても違う。20万円程度～100万円前後とケースによって幅が出る工事だ。

諸費用って何？
いくらくらいかかるもの？

手数料や税金などいろいろなコストが
建築費の10%程度かかります

　住宅を建てる際には、家の本体工事や別途工事以外にもかかるいろいろな出費、「諸費用」があります。

　注文住宅を建てる場合、諸費用は家づくりの総コストの10%程度が目安といわれます。つまり、3000万円の家を建てるのであれば諸費用を300万円程度は用意しておく必要があるということです。最近は諸費用も含めて貸してくれる住宅ローンや、諸費用専用のローンもありますが、住宅ローンに比べて金利が高めだったり、返済負担が増えたりするので、諸費用はできるだけ手持ちの資金から出すのが望ましいといえます。とはいえ、金額が大きいので、何がいくらくらいかかるのかを事前に確認し、資金の用意をしておきましょう。

　なお、諸費用にはどんなものがあるかは、82頁から詳しく解説していますので参考にしてください。

ここが大切！

諸費用は家づくりの総コスト(本体工事費、別途工事費、諸費用の合計)のうちの10%程度が目安。現金での支払いが必要になる場合も多いので、まとまった資金を手元に用意しておきたい。	諸費用の金額は依頼する住宅会社、住宅ローンの額でも違ってくる。また、古家のある土地や建て替えの場合は解体費用がかかるなど、家づくりの事情によっても違ってくる。	税金やローンの手数料がいくらくらいかかるか、住宅会社の担当者にたずねると、おおまかな金額を出してくれることが多いが、詳しく知りたい場合は税務署や銀行に問い合わせよう。

諸費用としてかかるコストの例

《地盤調査費》

地盤の強さを調べるためにかかる費用。この結果によって地盤補強工事費も決まる

《仲介手数料》

土地を購入する場合に、仲介に入った不動産会社に支払う手数料。金額の上限が決まっている（86頁）

《事務手数料》

住宅ローンを借りるときにかかる手数料。金額はローンの種類や金融機関によって違う

《保証料》

連帯保証人の代わりになる保証会社に支払う住宅ローンの保証料。フラット35から借りる場合は不要

《火災保険料》

返済期間中の補償を行う火災保険加入が条件になっている金融機関もあるので確認が必要

《印紙代》

設計契約や工事請負契約、ローンの契約などの契約書には印紙税がかかる。印紙を貼って納税する

《祭事費》

最近は省略する人も多いが、地鎮祭や上棟式などにかかる費用。地域によって費用の相場が違う

《引っ越し費用》

建て替えの場合は仮住まいへの引っ越し、仮住まいから新居へ、2回分の引っ越し費用がかかる

《仮住まい費》

建て替えの場合、工事中に暮らす仮住まいの家賃が必要になる。トランクルーム代がかかるケースも

《諸税金》

登記時に登録免許税、建物完成後に、不動産取得税、固定資産税、都市計画税などの各種税金がかかる

《家具購入費》

ダイニングセットやテレビ台など、新築時に家具を購入する場合には予算を確保しておく必要がある

諸費用のコストダウン

KEYWORD

税金など、金額が決まっているものは削ることはできないが、住宅ローンにかかわる諸費用は借入先や借り方の工夫で、ある程度コストを下げることも可能。住宅ローン選びは、諸費用も含めて検討しよう。

13

Question
04

無理のない資金計画のために
しておくといいことは？

家計の収支や現在の資産状況をチェック
家計簿をつけるのがおすすめです

　せっかく家を建てたのに、毎月の返済が家計を圧迫したり、貯金がなくなり教育費や老後資金の工面に困ったり。そんな事態に陥らないよう、無理のない資金計画の大枠を考えておきましょう。

　ポイントは家計と資産の把握。収入は把握していても、毎月、何にいくら出費しているかわからない人は多いもの。特に、お財布を別にしている共稼ぎカップルは、お互いの収入を知らないケースも多くあります。

　まずは、無理のない返済額をつかむために、わが家の収支をチェック。1000円単位のおおまかな数字でかまわないので家計簿を3カ月〜半年程度つけるだけで現実が見えてきます。同時に、自己資金をいくらまで出せるかを把握するため、今、手もとにいくらの貯金があり、そのなかからいくらまでなら家づくりのために使えるのかを整理しておきましょう。

ここが大切！

無理のない毎月返済額の上限を考える際、目安になるのが現在の家賃。今の家賃の支払いに無理はないか、ゆとりはいくらくらいあるか、反対にいくらくらい減らせば無理がないといえるかを考えよう。

「家賃並の返済額で家が建てられる」と、広告などで目にすることがある。でも、家を建てた後は、固定資産税や光熱費、郊外に引っ越すと交通費などが新たな出費に。家賃はあくまでも目安だ。

自己資金にまわせる金額は、現在の貯金額や、親から受けられそうな資金援助額から確認。教育費や車の購入費など将来の出費のほか、万が一に備えるため最低でも半年分の生活費は残しておきたい。

わが家の貯金は今いくらあるの？

資産状況を把握する

自己資金を多くすれば借入額を減らすことができ、将来の返済に余裕が出ます。わが家はいったいいくらを家づくりのための自己資金にまわせるのでしょうか。それを知るためには、まず、今いくら持っているかを確認することが必要です。下の書き込みシートに、1万円単位のおおまかな数字でもいいので書き込み、わが家の資産状況を把握しておきましょう。

わが家の資産チェック表

現在手元にあるお金	
銀行口座　（　　　　　　　　　　　　）銀行	万円
（　　　　　　　　　　　　）銀行	万円
（　　　　　　　　　　　　）銀行	万円
（　　　　　　　　　　　　）銀行	万円
解約できる保険など	万円
換金できる有価証券など	万円
その他	万円
合計	万円

＋

贈与	
親や祖父母から受けられそうな資金援助の金額	万円

↓

合計	**万円**

KEYWORD

親 か ら 資 金 を 借 り る 場 合

家づくりの資金を、親から「もらう」のではなく「借りる」場合は、定期的に返済し、その履歴をきちんと残すこと。借りたまま返済していないと贈与とみなされ贈与税の課税対象になるので注意。（214頁）

Question 05

住宅ローンって いくらくらい借りられるの？

借りる人の年収などによって 借りられる金額の上限が決まります

　家づくりでまず考えたいのは「予算」。予算が決まらなければ家の規模や設備のグレードなどプランが立てにくいからです。住宅ローンを利用する人が多いと思いますが、いくら借りるかによって家づくりの予算が違ってきます。

　ほとんどの住宅ローンが物件価格を上限に、借りる人の年収などの条件によって融資限度額を設定しています。つまり、金融機関の条件をクリアしていれば、融資限度額いっぱいまで借りられるというわけです。しかし、注意したいのは「借りられる金額＝ラクに返せる金額」ではないということ。それぞれの世帯によって家計の事情は違い、返済にまわせる安全な金額は違うからです。ここでは、自分が毎月いくらまで住宅ローンにまわせるかを考えて、その場合に借りられる金額を知りましょう。右頁のリストで考えておきたいことをチェックしたら、18 ～ 21 頁の表で毎月返済額から出す「借りられる金額」を確認してみましょう。

ここが大切！

銀行では、年間のローン返済額が税込年収の30～35％までをOKとするところが多い。しかし、この上限では年収があまり多くない人や他に出費が多い人には返済が負担になる可能性が高い。

毎月返済していける金額を決めるときは、現在の「家賃＋住宅取得のための貯金」が、家計を圧迫していないかどうかを考えよう。余裕がないのであれば、住宅ローン返済はそれよりも少ない金額に。

手元の自己資金のうち家づくりにまわせる金額と、借りる金額の合計を出しておくことが資金計画の第一歩。住宅会社などにラフプランを依頼するときには、その金額を総予算として伝えよう。

借りられる金額の目安を知る前にチェック！

Check 01	返済期間を考えよう	年

 35年、または80歳くらいまでに完済できる期間を最長返済期間に設定できるのが一般的ですが、定年退職前に完済するのが安心です（144～147頁）。

Check 02	毎月返済額を考えよう	万　　円

 家計に無理がないのはいくらまでかを考えましょう。ボーナス返済を利用するつもりの人は、「年間返済額※÷12」の金額を書き込んでください。
※年間返済額とは［毎月返済額×12カ月＋ボーナス返済額×2回］

Check 03	金利タイプを選ぼう	全期間固定金利型／変動金利型／固定期間選択型

 完済まで返済額が変わらない**全期間固定金利型**と、金利情勢によって返済額が上下する**変動金利型、固定期間選択型**。どちらを選ぶかは返済期間や返済額を考えて決めましょう。

Check 04	返済方法を選ぼう	元利均等返済／元金均等返済

 ほとんどの銀行ローンで扱っているのは元利均等返済。元金均等返済はフラット35や財形住宅融資など一部の住宅ローンで扱っています（140～143頁）。

さっそく次頁からの表であなたが借りられる金額をチェック！

元利均等返済を選んだ人は **18頁へ**
元金均等返済を選んだ人は **20頁へ**

毎月返済額から出す借入額の目安＜元利均等返済の場合＞

毎月返済額	返済期間 金利	10 年	15 年	
5 万円	1.8%	548 万円	788 万円	
	0.5%	585 万円	866 万円	
6 万円	1.8%	658 万円	945 万円	
	0.5%	702 万円	1040 万円	
7 万円	1.8%	768 万円	1103 万円	
	0.5%	819 万円	1213 万円	
8 万円	1.8%	877 万円	1261 万円	
	0.5%	936 万円	1387 万円	
9 万円	1.8%	987 万円	1418 万円	
	0.5%	1053 万円	1560 万円	
10 万円	1.8%	1097 万円	1576 万円	
	0.5%	1170 万円	1733 万円	
11 万円	1.8%	1207 万円	1734 万円	
	0.5%	1287 万円	1907 万円	
12 万円	1.8%	1316 万円	1891 万円	
	0.5%	1404 万円	2080 万円	
13 万円	1.8%	1426 万円	2049 万円	
	0.5%	1521 万円	2253 万円	
14 万円	1.8%	1536 万円	2207 万円	
	0.5%	1638 万円	2427 万円	
15 万円	1.8%	1646 万円	2364 万円	
	0.5%	1755 万円	2600 万円	

<この表の使い方>
① タテ軸から「毎月返済額」と「金利」を選択します。
② ヨコ軸から「返済期間」を選択し、タテ軸と交わった金額が、借りられる金額の目安です。

※借りられる金額は金融機関によって違ってきます。この表の数字はあくまでも目安としてください
※金利1.8％は全期間固定金利型、金利0.5％は変動金利型の目安です。適用金利は金融機関によって違います

	20 年	25 年	30 年	35 年
	1007 万円	1207 万円	1390 万円	1557 万円
	1141 万円	1409 万円	1671 万円	1926 万円
	1208 万円	1448 万円	1668 万円	1868 万円
	1370 万円	1691 万円	2005 万円	2311 万円
	1409 万円	1690 万円	1946 万円	2180 万円
	1598 万円	1973 万円	2339 万円	2696 万円
	1611 万円	1931 万円	2224 万円	2491 万円
	1826 万円	2255 万円	2673 万円	3081 万円
	1812 万円	2172 万円	2502 万円	2802 万円
	2055 万円	2537 万円	3008 万円	3467 万円
	2014 万円	2414 万円	2780 万円	3114 万円
	2283 万円	2819 万円	3342 万円	3852 万円
	2215 万円	2655 万円	3058 万円	3425 万円
	2511 万円	3101 万円	3676 万円	4237 万円
	2417 万円	2897 万円	3336 万円	3737 万円
	2740 万円	3383 万円	4010 万円	4622 万円
	2618 万円	3138 万円	3614 万円	4048 万円
	2968 万円	3665 万円	4345 万円	5007 万円
	2819 万円	3380 万円	3892 万円	4360 万円
	3196 万円	3947 万円	4679 万円	5393 万円
	3021 万円	3621 万円	4170 万円	4671 万円
	3425 万円	4229 万円	5013 万円	5778 万円

毎月返済額から出す借入額の目安＜元金均等返済の場合＞

毎月返済額	金利＼返済期間	10 年	15 年	
5 万円	1.8%	508 万円	708 万円	
	0.5%	571 万円	837 万円	
6 万円	1.8%	610 万円	850 万円	
	0.5%	685 万円	1004 万円	
7 万円	1.8%	711 万円	992 万円	
	0.5%	800 万円	1172 万円	
8 万円	1.8%	813 万円	1133 万円	
	0.5%	914 万円	1339 万円	
9 万円	1.8%	915 万円	1275 万円	
	0.5%	1028 万円	1506 万円	
10 万円	1.8%	1016 万円	1417 万円	
	0.5%	1142 万円	1674 万円	
11 万円	1.8%	1118 万円	1559 万円	
	0.5%	1257 万円	1841 万円	
12 万円	1.8%	1220 万円	1700 万円	
	0.5%	1371 万円	2009 万円	
13 万円	1.8%	1322 万円	1842 万円	
	0.5%	1485 万円	2176 万円	
14 万円	1.8%	1423 万円	1984 万円	
	0.5%	1600 万円	2344 万円	
15 万円	1.8%	1525 万円	2125 万円	
	0.5%	1714 万円	2511 万円	

<この表の使い方>
① タテ軸から「毎月返済額」と「金利」を選択します。
② ヨコ軸から「返済期間」を選択し、タテ軸と交わった金額が、借りられる金額の目安です。
　※借りられる金額は金融機関によって違ってきます。この表の数字はあくまでも目安としてください
　※金利1.8％は全期間固定金利型、金利0.5％は変動金利型の目安です。適用金利は金融機関によって違います

	20 年	25 年	30 年	35 年
	882 万円	1034 万円	1168 万円	1288 万円
	1090 万円	1333 万円	1565 万円	1787 万円
	1058 万円	1241 万円	1402 万円	1546 万円
	1309 万円	1599 万円	1878 万円	2144 万円
	1235 万円	1448 万円	1636 万円	1803 万円
	1527 万円	1866 万円	2191 万円	2502 万円
	1411 万円	1655 万円	1870 万円	2061 万円
	1745 万円	2133 万円	2504 万円	2859 万円
	1588 万円	1862 万円	2103 万円	2319 万円
	1963 万円	2399 万円	2817 万円	3217 万円
	1764 万円	2068 万円	2337 万円	2576 万円
	2181 万円	2666 万円	3130 万円	3574 万円
	1941 万円	2275 万円	2571 万円	2834 万円
	2400 万円	2933 万円	3443 万円	3931 万円
	2117 万円	2482 万円	2805 万円	3092 万円
	2618 万円	3199 万円	3756 万円	4289 万円
	2294 万円	2689 万円	3038 万円	3349 万円
	2836 万円	3466 万円	4069 万円	4646 万円
	2470 万円	2896 万円	3272 万円	3607 万円
	3054 万円	3733 万円	4382 万円	5004 万円
	2647 万円	3103 万円	3506 万円	3865 万円
	3272 万円	4000 万円	4695 万円	5361 万円

Question

06

みんないくらくらいの住宅ローンを借りてるの？

注文住宅の場合、借入額の全国平均は3772万円です

　借りられる金額は借りる人の年収や家計状況、今後の出費の予定などによって違ってきます。とはいえ、家を建てた先輩たちがいくらくらいの家を建て、いくらの住宅ローンを借りているものなのか気になる、という気持ちはよくわかります。

　そこで、令和4年度の国土交通省「住宅市場動向調査」からデータを見てみましょう。注文住宅の場合、住宅ローンの借入額は平均3772万円（土地取得費を含む）。年間返済額は平均174.0万円で毎月返済にならすと約14万5000円です。同じ調査では、総資金額のうちの自己資金の割合は平均30.6％となっています。約3割の頭金を用意している、ということになります。

　最近は住宅取得費の100％を借り入れることが可能ですが、実際には、無理のない返済計画にするために、頭金を用意して足りない分を住宅ローンから、という人が多いのです。

ここが大切！

注文住宅の場合の借入額の平均は、令和3年度の調査では3909万円。令和4年度は3772万円にダウンした。年間返済額は令和3年度の139.4万円より増えて174.0万円となっている。

令和4年度の注文住宅の場合の頭金の割合は30.6％、返済負担率は平均16.4％。頭金をきちんと用意して、金融機関が融資してくれる上限金額よりも少なめに借りていることが推測できる。

国土交通省の「住宅市場動向調査」は毎年行われており、住宅取得者の平均年収や資金調達方法などのデータもある。webサイトの「e-Stat」（「政府統計の総合窓口」で検索）で確認できる。

みんないくら借りて、いくら返してる?

借入額平均

注文住宅	分譲戸建住宅	中古戸建住宅
3772万円	**3054**万円	**1908**万円

住宅ローンの年間返済額の平均※

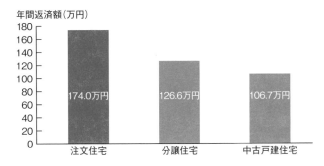

年間返済額(万円)

注文住宅 174.0万円
分譲住宅 126.6万円
中古戸建住宅 106.7万円

KEYWORD

総費用と返済負担率の平均※

住宅取得資金総額の平均は注文住宅5436万円(土地取得費含む)、分譲戸建住宅4214万円、中古戸建住宅3340万円。世帯年収に占める住宅ローンの返済負担率は注文住宅16.4%、分譲住宅18.8%、中古戸建住宅16.6%だ。

※「令和4年度住宅市場動向調査」(国土交通省)より。注文住宅、中古戸建住宅の調査地域は全国、
分譲住宅は三大都市圏での調査

Question

07

頭金を用意することで
どんなメリットがあるの？

基礎
知識

頭金が多いほど借入額と利息が減り
総支払額を減らすことができます

　家の建築資金は頭金と、頭金だけでは足りない分をまかなう借り入れで支払う人がほとんど。頭金が多ければ多いほど、借り入れを少なくすることができます。

　借り入れが少なければ、支払う利息も少なくなるので、総支払額が少なくなります。同じ建築費の家でも、頭金の額によって総支払額が違ってくるというわけです。

　また、住宅ローンには、店頭表示金利よりも低い「引き下げ金利」が用意されているケースが多いのですが、引き下げ金利が適用になる条件に「頭金10％以上」などの項目がある金融機関も。右頁では、「頭金がない場合」「頭金を10％用意した場合」「頭金を10％用意して引き下げ金利が適用になった場合」の総支払額を比較してみました。頭金の有無でずいぶん差が出ることがわかるでしょう？　今は頭金がなくても住宅ローンで全額借りることも可能ですが、総支払額を考えれば頭金は多いほうがいいですね。

ここが大切！

頭金を多くして借入額を少なくすれば、利息分が減らせるうえに、借入額によって違ってくる保証料をコストダウンすることもできる。銀行によっては保証料無料などの特典があるところも。

頭金の割合が低い場合、住宅ローン審査が厳しく、希望額が借りられないことがある。また、諸費用には現金での支払いが必要なものもあるので、ある程度の現金は準備しておこう。

頭金を用意できない、または極端に少ない人は、住宅取得計画の練り直しをしたほうがいい。貯金ができない家計体質の場合、教育費などの出費増加がきっかけでローン返済が苦しくなる可能性もある。

頭金の有無で総支払額はこう変わる

ローンの条件　物件価格3500万円／返済期間35年／金利2.475%（変動金利型／店頭表示金利）
返済方法：ボーナス返済無し、元利均等返済　※金利は完済まで変動しないものとして試算

| 頭金なし
借入額3500万円の場合 | 毎月返済額 **12万4654円**
総支払額 約 **5236万円**
（内、利息約1736万円） |

| 頭金10%
借入額3150万円の場合 | 毎月返済額 **11万2189円**
総支払額（頭金含む） 約 **5062万円**
（内、利息約1562万円） |

| 頭金10%で金利が0.5%に引き下げ
借入額3150万円の場合 | 毎月返済額 **8万1769円**
総支払額（頭金含む） 約 **3785万円**
（内、利息約285万円） |

頭金が増えれば、その分借入額を減らすことができます。このケースでは、借入額が3500万円から3150万円になることで、総支払額は約174万円少なくなります。さらに、頭金10%以上で引き下げ金利が適用になれば、頭金なし・金利2.475%に比べて総支払額は約1451万円少なくなります。

引き下げ金利適用の条件

KEYWORD

店頭表示金利よりも低い金利が適用されるためには、銀行が設定した条件をクリアすることが必要。給与振込口座や公共料金の引き落とし口座の開設や、一定割合以上の頭金の用意などが条件になることが多い。

Question
08

広告に書かれている「坪単価」って何？

延床面積当たりの本体価格（本体工事費）のことです。算出方法が会社によって違う点に注意しましょう

　「坪単価」という言葉を聞いたことはありませんか？これは1坪（約3.3㎡）当たりの本体価格（本体工事費）がいくらかかるかをあらわすものです。「本体価格（税抜）」を「延床面積（坪数）」で割ったものが「坪単価」です。例えば、本体価格が3500万円、延床面積が40坪の家なら、坪単価は87.5万円になります。

　注意したいのは、坪単価の算出方法が住宅会社によって違うということ。本体価格を延床面積ではなくバルコニーや吹抜けなども含んだ施工面積で割っているケースがあるのです。右頁の図を見てみましょう。この場合、延床面積で割るよりも坪単価は低くなります。また、どんな設備や住宅部材を想定しているかによっても坪単価は違ってきます。ですから、坪単価だけを比べて「A社よりもB社のほうが安い」といった判断は的確ではありません。ただし、同じ住宅会社の商品であれば、坪単価の比較でグレードの違いがわかります。

ここが大切！

住宅会社の広告に記載されている坪単価は、標準仕様で建てられた場合の本体価格で計算されることが多い。そのため、希望のプランを盛り込んで建てる注文住宅の坪単価は広告とは違ってくる。	坪単価を出すときに使われる本体価格には、外構費や屋外給排水管工事費などの別途工事費が含まれていないのが一般的。そのため、実際にかかる費用は坪単価×延床面積よりも多くなると考えよう。	坪単価を出すときに本体価格を割る面積に、「延床面積」を使う会社と、延床面積よりも大きい「施工床面積」を使う会社がある。施工床面積に何を含むかも住宅会社によってまちまちだ。

坪単価の算出方法に要注意！

坪単価はどう計算する？

本体価格※1	÷	延床面積※2	＝	坪単価

＜CASE＞ 本体価格が3500万円、延床面積が40坪の場合

3500万円÷40坪＝坪単価87.5万円

※1 消費税込み、消費税抜きのどちらで表示されているか確認が必要
※2 施工面積で算出する場合もある

本体価格3500万円。「延床面積」と「施工面積」の違いはこう出る！

延床面積
（40坪）

1F　2F

坪単価は？

本体価格 3500万円	÷	延床面積 40坪	＝	坪単価 87.5 万円

各階の「床」がある部分の面積の合計が延床面積。左の間取図のように、吹抜けや玄関ポーチは含まれない

施工面積
（43坪）

1F　2F

坪単価は？

本体価格 3500万円	÷	施工面積 43坪	＝	坪単価 81.4 万円

実際に施工した部分の面積。ベランダや玄関ポーチ、吹抜けも含まれるため延床面積よりも面積が大きくなる

 同じ住宅でも、坪単価は算出方法によって変わります。坪単価を見るときは、算出方法にも注目しましょう。

本体価格から出す坪単価

KEYWORD

坪単価を算出するベースになる「本体価格」には、家づくりに必要になる「別途工事費」や「諸費用」は含まれていない。このため、実際にかかる坪当たりの費用は、坪単価の2～3割増しと考えよう。

Question
09

同じくらいの大きさの家でも坪単価に違いが出るのはなぜ？

プランや仕様の違いによって本体価格が上がれば坪単価もアップします

坪単価はさまざまな要因に左右されるため、同じ住宅会社で建てた同じくらいの床面積の家でも、坪単価に差が出ることがあります。同じ床面積でも箱型の総2階の家と凹凸の多い複雑な形の家とでは、後者のほうが必要な材料や手間が多く本体価格は大きくなります。使われる内装材や外壁、設備のグレードが上がっても同様。本体価格が上がれば、坪単価は大きくなります。

また、延床面積が小さいほど坪単価は上がります。延床面積が減れば、材料費が減って本体価格もダウンし、坪単価は変わらないのでは？と思うかもしれません。でも、床面積が減ってもキッチンやバス、トイレなどの住宅設備の数は減りませんし、運搬費や施工費なども床面積にはあまり左右されません。そのため、同じ仕様の家なら、家が小さくなるほど「本体価格÷延床面積」で出される坪単価は上がる傾向にあるのです。

ここが大切！

同じ延床面積の家では、本体価格が上がると坪単価もアップする。本体価格は「間取りなどのプラン」「外観デザイン」「設備・部材のグレード」「構造・工法」などによって違ってくる。

同じようなプラン、グレードの家にした場合、延床面積が小さいほうが坪単価は大きくなる。これは設備などの価格や施工費、人件費、諸経費などが延床面積とは比例して減ることがないからだ。

広告に出ている坪単価をもとに、建てたい家の価格を正確に算出することはできない。ただし、広告のプランを基本として、自分の希望する家が高くなるか安くなるかの見当をつけることはできそう。

プランがシンプルなほど坪単価は小さくなる

シンプルなプラン

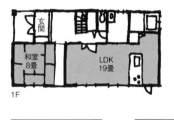

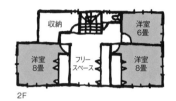

| 本体価格 3500万円 | ÷ | 延床面積 40坪 | = | 坪単価 87.5万円 |

複雑なプラン

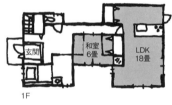

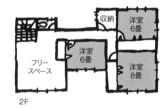

| 本体価格 3800万円 | ÷ | 延床面積 40坪 | = | 坪単価 95万円 |

延床面積や部屋数、設備のグレードが同じでも、形が複雑になることで本体価格がアップし、坪単価が高くなる

KEYWORD

工法の違いによる坪単価

床面積や間取り、設備のグレードなどが同じくらいでも、構造によって坪単価に違いが出る。例えば、鉄筋コンクリート造の家は木造の家に比べて坪単価は高い傾向にある。

Question 10

注文住宅を建てるためのお金はいつ支払うの？

契約から引き渡しまでの間に数回に分けて払うのが一般的です

　家を建てるときの住宅会社に対する支払いは、一般的な買い物とは違います。商品（建物）と引き換えに全額を支払うのではなく、建築請負契約※1 を交わすときから引き渡しまでの間に数回に分けての支払いになるのが一般的です。

　何回に分けて支払うのか、分割の割合はどうなるのかは、住宅会社によって違うので、早い時期に説明を受けておきましょう。一般的なのは、建築請負契約時、着工時、上棟時、引き渡し時の4回に分けて支払うケース。右頁は契約金は工事費の10%、着工金・中間金・引き渡し時の残金で各30%ずつ支払う例です。

　なお、住宅ローンで借りたお金が出るのは抵当権設定登記や引き渡しが終わってから。その前に支払うお金は、金利は高めですがつなぎ融資を利用することで自己資金がなくても支払うことができます。最近は、分割融資が可能な住宅ローンもありますが、取扱銀行は多くはありません。

ここが大切！

建築費の支払いのタイミングや分割回数、割合などは施主の事情によって柔軟な対応をしてくれる会社もある。契約前に支払い方法の確認をして、難しそうであれば相談してみるといいだろう。

工事代金の他に、建築請負契約と住宅ローン契約のときには、契約書に貼る印紙代が必要。物件の引き渡し時には登録免許税などの登記費用、ローンの諸費用の支払い、固定資産税の精算などがある。

最近は地鎮祭や上棟式を行わない人も多いが、行うのであればそれぞれに費用がかかる（94頁）。必要なものは住宅会社が用意したり、セット商品で売られていたりする場合もある。

※1 建築請負契約とは、プラン確定後に住宅会社と結ぶ建築工事実施の契約のこと

注文住宅のお金、いつ払う？

購入の流れ
（大手・中堅ハウスメーカーの場合）　　払うお金（例）

| 建築請負契約 | 契約金（工事費※2の10%）・印紙代 |

※2 本体工事費と別途工事費の合計

| 建築確認申請・検査料 | 建築確認申請、中間検査、完了検査手数料（各3万円前後）※3 |

※3 他に図面作成料などが20〜30万円程度必要。
　　住宅会社によっては、設計料に含まれている場合もある

| 着工 | 着工金（工事費の30%） |

| 上棟式 | 中間金（工事費の30%） |

| 竣工 |  |

| ローン契約 | 印紙代 |

| 引き渡し | 残金（工事費の30%）・ローン関連諸費用・登記関連費用 |

支払いスケジュールの違い

KEYWORD

支払いのタイミングは住宅会社によって異なる。契約時、上棟時、木工事完了時、引き渡し時に支払うケースも少なくない。支払いの直前になって慌てることがないよう、事前に住宅会社へチェックしておこう。

解体工事って何？
どのくらいコストがかかるの？

　古屋付きの土地の購入や、実家を建て替えての家づくりの場合
など、住宅を建てる敷地に古屋がある場合に必要なのが「解体工
事」。昨今は、この解体工事の費用も無視できない額になってき
ています。2021年に行われた大気汚染防止法の改正により、解
体ごみの分別や再資源化など、アスベストを含有する建材への規
制も厳しくなっているからです。たとえば、10数年前なら30
坪前後の古屋の解体費用は100万円程度だったものが、現在で
は300万円程度（首都圏の場合）と約3倍もの費用になってい
ます。

　「こんなに解体工事に費用がかかるなんて思っていなかった！」
ということにならないよう、解体費用についても事前にしっかり
と見込んでおきましょう。

アスベスト（石綿）が含まれる建材

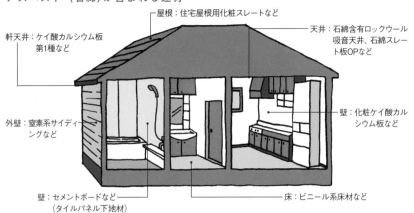

屋根：住宅屋根用化粧スレートなど

軒天井：ケイ酸カルシウム板
第1種など

天井：石綿含有ロックウール
吸音天井、石綿スレー
ト板OPなど

外壁：窒素系サイディ
ングなど

壁：化粧ケイ酸カル
シウム板など

壁：セメントボードなど
（タイルパネル下地材）

床：ビニール系床材など

予算内で理想の家にするために

家を「建てる」ために かかるお金は どこで差が出るの?

注文住宅に「定価」はありません。限りなくお金をかけることもできれば、プランや仕様の工夫でコストを抑えることもできます。予算内で満足できる家づくりをするためには、コストをかけるところと、抑えるところのバランスが大切。ここでは、その違いについて、実例も紹介しながら解説します。

Question 11
家の価格ってどうやって決まるの？

**家を建てる工事にかかる「本体工事費」と
それ以外の「別途工事費」の合算で決まります**

　家を購入を検討する前に、本体工事費や別途工事費といった家の価格に含まれている内訳を知っておくと安心です。

　本体工事費には、仮設工事費、基礎工事費、構造材料費、木工事材料費、大工手間、屋根外装工事費、内装工事費、住宅設備器具代、設備工事費、外構植栽工事費などが含まれます。これらは、住宅会社によって、材料の値段と人件費が一緒になって計上されている場合と、分けて計上されている場合があります。

　本体工事費以外に別途工事費が計上されている場合も多くあります。別途工事費には、水道やガスの引き込み費用や地盤改良の費用、建て替えの場合の解体費用などが挙げられます。住宅会社によっては、照明器具やエアコン設備、カーテンブラインド工事などが別途工事費になっている場合もあるので注意が必要です。後から「カーテン代を見ていなかった」などがないように見積内容はしっかり読み込むようにしましょう。

ここが大切！

諸経費は、現場管理費（現場経費）と一般管理費（本社経費）に分かれている場合も。現場管理費は現場を進めていくために必要な費用、一般管理費は住宅会社が運営していくための費用のことだ。

一般管理費には、営業経費、モデルハウス維持費、宣伝広告費なども含まれることから、住宅会社によってその比率はさまざま。細かな積算はできないので、工事費の〇%と定めているのが一般的。

忘れてはいけないのが消費税だ。現在の税率10%は家づくりでは無視できない大きな金額となるので、トータルで考えるようにしよう。ちなみに、土地の購入代金には消費税はかからない。

家づくりにかかるお金の内訳

3800万円の家の価格の内訳例

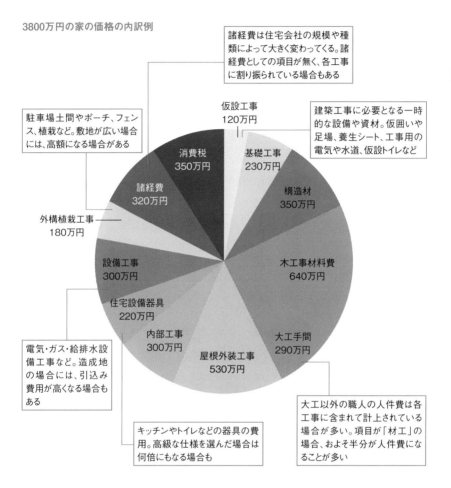

諸経費は住宅会社の規模や種類によって大きく変わってくる。諸経費としての項目が無く、各工事に割り振られている場合もある

建築工事に必要となる一時的な設備や資材。仮囲いや足場、養生シート、工事用の電気や水道、仮設トイレなど

駐車場土間やポーチ、フェンス、植栽など。敷地が広い場合には、高額になる場合がある

仮設工事 120万円

基礎工事 230万円

構造材 350万円

消費税 350万円

諸経費 320万円

外構植栽工事 180万円

設備工事 300万円

住宅設備器具 220万円

内部工事 300万円

屋根外装工事 530万円

木工事材料費 640万円

大工手間 290万円

電気・ガス・給排水設備工事など。造成地の場合には、引込み費用が高くなる場合もある

キッチンやトイレなどの器具の費用。高級な仕様を選んだ場合は何倍にもなる場合も

大工以外の職人の人件費は各工事に含まれて計上されている場合が多い。項目が「材工」の場合、およそ半分が人件費になることが多い

KEYWORD

地盤改良工事に注意

地盤の悪い土地に建設する場合には、地盤改良工事が必要となることがある。良好な地盤では不要となる場合も多いが、軟弱地盤の場合には数十万円から数百万円と費用がかさむケースもあるので、注意が必要だ。

Question 12
予算内で希望の家を建てるには
どうすればいいの?

**何がコストを左右するのかを知り
お金のかけ方のバランスを考えましょう**

ほとんどの人の家づくりには「予算」があるでしょう。予算内で満足度の高い家を完成させるためには、コストをかけるところと抑えるところのバランスをとることが大切です。

例えば、家の外観や大きさにはこだわらないから設備を高機能な最新のタイプにしたい場合は、凹凸の少ないシンプルでコンパクトな家で建築費を抑える。人が集まる場所を豪華にしたい場合は、LDKの内装や家具にお金をかけて、個室はシンプルに仕上げる。このようにメリハリをつけることが、予算内でのプランニングにつながります。

施工面積の少ないシンプルな家にすること、部材や設備は安く調達できるスタンダードなものにすることなどが、コストを抑えるポイントです。あまりこだわらない部分はコストを抑え、「家を建てるならこうしたい!」と思い描いていた部分にお金をかけるといいでしょう。

ここが大切!

住み心地の善し悪しは、躯体の質や断熱仕様など建物の見えない部分に左右される。躯体や断熱性能など、住宅としての機能や性能に影響する部分は、コストをしぼらないほうが賢明だろう。

どうしても予算をオーバーしてしまう場合、壁や天井など後からリフォームで変更しやすい部位の材料のグレードを落とす方法も。施工面積の大きな部分なので、コストダウンの効果も大きくなる。

コストを抑える一番効果的な方法が施工床面積の削減。30坪と32坪では100万円以上価格が変わってくる。廊下が少なく効率的な間取りにすることで、コストを抑えることも可能だ。

コストを左右する基本ポイント

家の大きさ・形

施工面積が大きくなるほど材料費がかかり、必要な足場や工期も増える。建てる家が大きければ大きいほどコストはアップする。また、同じ床面積の家でも凹凸が多ければ外壁材など必要な材料が増え、施工の手間もかかる。コストを抑えやすいのは凹凸が少なく、シンプルな形の家だ

間取り

部屋数が多かったり、ロフトやスキップフロアを多用したりした複雑な間取りの家は、壁が多い分、内装材が多く必要になり施工の手間もかかるためコストがアップする。間仕切りの少ないオープンな間取りのほうが、コストは抑えられる。また、部屋や収納のドアの数によってもコストは上下する

使用部材や設備のグレード

外壁材や窓、床材や壁紙、水廻り設備など、グレードに幅があるものはどれを選択するかで材料費が変わる。また、外壁材や壁紙、床材など材料によって施工方法や下地処理などが違うものは、施工期間の違いで人件費が上下する場合もある

土地の価格

土地を購入して家を建てる場合、土地の取得費用が総コストの中で大きな割合を占めることになる。土地の広さや形状、方位、場所、地域などによって土地の価格には大きな差が出る。土地選びによって総コストは百万円単位で違ってくることも

LCC（ライフサイクルコスト）

LCCとは、竣工から家の耐久年数を超え解体するまでを含めた総費用（生涯費用）のこと。建設費用（イニシャルコスト）だけでなく、光熱費やメンテナンス費などのランニングコストも含まれる。断熱性能、耐久性能、メンテナンス性なども考慮し、費用対効果を考えて家を計画する必要がある（72頁）

土地の状態（傾斜地や軟弱な土地など）

傾斜地では擁壁や崖の工事が発生する場合があり、数百万円になることも。軟弱な地盤では地盤補強工事を要する場合があり、地盤の状況に応じて数十万〜数百万円まで幅が広い。敷地が広ければ土地境界のフェンスにも費用がかかる。これらは思いのほか大きな費用になることがあるので、土地購入の前に確認しておくのがベスト

相見積もり

KEYWORD

複数の会社にラフプランと見積もりを依頼するのが相見積もり。複数の提案を比較できるため、コストの目安をイメージすることができる。異なる仕様や性能でのコスト比較とならないよう注意しよう。

Question 13 建てる地域や場所によって家づくりのコストに差は出る？

土地代には地域差や立地差が出ます。
家づくりのコストは施主の選択次第です

　ここでは家づくりにかかるコストの地域差について見てみましょう。右頁のデータにもあらわれているように、地方よりも首都圏の家は高くなっています。同じ首都圏でも、都心に近づくほど一戸建てを取得するための金額は上がるというのが一般的です。また、地方でも郊外よりは都市部のほうが住宅の取得費は上がると考えられます。これは首都圏や都市部のほうが建築にかかる人件費などが割高になる場合があること、土地の取得費が高くなることなどが大きな理由といえます。とはいえ、近年はプランの工夫や住宅資材・設備機器の大量仕入れなどで建築費を抑えた、ローコスト住宅という選択肢も一般的になり、建築コストは地域差よりも施主がどれくらいお金をかけるかによって決まるようになりました。土地の取得費は首都圏や都市部のほうがどうしても高くなりますが、建物に関するコストは、施主が予算に合わせて選択することができるのです。

ここが大切！

建築費（土地取得のための借り入れがない場合）の平均を、首都圏と全国で比べると、首都圏が高く約329万円の開きがある。住宅面積平均は全国119.5㎡、首都圏120.4㎡で大きな差はない。

住宅会社によっては、基本プランを用意して手間を省いたり、シンプルな間取りや外観デザインにしたりでコストを落とす工夫をしているところも多い。家づくりのコストは設計によっても上下するのだ。

右頁は2023年度にフラット35を利用して家を建てた人を対象に行った調査。注文住宅の建築費の全国平均は2022年度が3715万円なのに対し、2023年度は3861万円でアップしている。

注文住宅の建築費の平均※1を見てみよう

※1「2023年度フラット35利用者調査」（住宅金融支援機構）より

注文住宅の建築費※2

全国平均 3861万円	都道府県別の平均をピックアップ	
	東京都	**4625万円**
	千葉県	**3867万円**
	神奈川県	**4155万円**
	埼玉県	**4058万円**
	愛知県	**4047万円**
	大阪府	**4406万円**
	兵庫県	**3836万円**
	福岡県	**3847万円**
	北海道	**4581万円**

※2 土地取得のための借り入れがない人の場合

土地＋注文住宅の所要資金

全国平均 4903万円	都道府県別の平均をピックアップ	
	東京都	**7121万円**
	千葉県	**4862万円**
	神奈川県	**5801万円**
	埼玉県	**5328万円**
	愛知県	**5526万円**
	大阪府	**5526万円**
	兵庫県	**5463万円**
	福岡県	**4781万円**
	北海道	**4965万円**

KEYWORD

土地の購入

家を建てるための土地を購入することからスタートする場合、土地のみで販売されている宅地、建築会社が指定されている建築条件付き土地、古家付きの土地などを購入する選択肢がある。

Question 14

土地は形や方角によっても
コストに差が出る？

希望のエリアで予算内に納めたいときは
変形地などにも目を向けてみましょう

　正方形や長方形などの形の整った土地や、広い土地、南向きの土地などは人気があり、価格も高くなりがちです。希望するエリアでの土地探しが予算オーバーで行き詰まった場合は、多角形の土地や旗竿型の土地、北向きの土地など、デメリットがあると思われている土地に目を向けてみましょう。土地の購入費用を抑えられる可能性があります。

　例えば、狭い通路の奥に家を建てることになる旗竿型の土地は、道路から距離があるため静かだったり、北向きの土地は道路から面していない南側にLDKを配置すれば落ち着いた空間にできるなどのメリットもあります（右頁）。狭い土地や変形地でも間取りの工夫で満足できる家にできるケースも多くありますから、住宅会社に相談してみるといいでしょう。

ここが大切！

将来、子どもや孫に土地を遺す必要がなければ、借地に家を建てるという選択もある。ただし、住宅ローンの審査が通りにくく、希望の金額を借りられないことも多いため、十分な自己資金が必要だ。

土地の価格が安くても、地盤改良工事（軟弱地盤）や擁壁の設置が必要な土地の場合は、かえってコストが高くつくことも。自治体のハザードマップなどで地盤を確認するほか、不動産会社や住宅会社にも相談しておこう。

古家付きの土地が割安な価格で売られていることも。古家の状況によっては、リノベーションして住むこともできるが、建て替えをするなら解体費用や地盤調査費、整地費用を見積もっておきたい。

土地の個性を生かせるプランは？

多角形や変形の土地

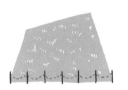

四角い建物を建てると、中途半端に土地が余る変形の土地。ウッドデッキや植栽を楽しむスペースとして活用するのもおすすめ

北向きの土地

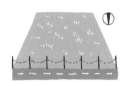

周囲に高い建物がなく、道路に面していない南側の日当たりが確保できれば、静かで落ち着いた南向きのLDKにすることもできる

旗竿型の土地

細い通路は駐車場や花壇に活用。家を建てるスペースが道路から離れているため、静かなうえ、通行人の視線も気にならない

小さな土地

コンパクトな土地は少人数世帯向き。3階建てにするなら、間仕切りを少なくして開放感を、窓の位置を工夫することで採光や通風を確保

細長い土地

周囲を建物に囲まれている場合、課題になるのは日当たりや通風。リビングを2階にしたり、トップライトを設けたりなどの工夫をしたい

傾斜や段差のある土地

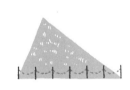

高低差を生かして、半地下空間やビルトインガレージを設けることも。スキップフロアを取り入れて、個性的な間取りにするのも楽しい

KEYWORD

斜線制限

土地選びでは、家のプランにかかわる規制についてもチェック。建築基準法による北側斜線制限や隣地斜線制限などは、建物の高さや屋根の傾斜などに影響する。希望のプランが実現できるかは住宅会社に確認を。

Question 15

形が変わるとコストは どう変わるの？

プランと断面形状※よって
コストが大きく変わります

　さまざまな要因のなかでも、コストに大きく影響するのが家の「プラン」と「断面形状」。床面積、設備（キッチン、浴室、トイレ、洗面所、給湯器など）は同じでも、外壁や屋根などの施工面積に応じて、その分、材料費や大工さんの手間が増えるからです。一番費用のかからない形状とは、「総2階の真四角の家」。吹抜けや下屋、バルコニーが無い真四角の家です。たとえばプランが凸凹している場合、外壁の面積が2割以上も増えます。屋根の形も複雑となり、外装の費用も膨らみます。さらに断面形状の凸凹、吹き抜けや下屋があると、室内の壁や天井の施工面積が増えます。外にバルコニーやウッドデッキなどがある場合は、当然それらの費用を加算する必要もあるでしょう。また、平屋の場合は基礎と屋根の面積が大きくなるので総2階の家よりもコストは高くなります。右頁で、形状が変わると具体的にどのようにコストが増えるのか、チェックしてみましょう。

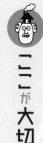

ここが大切！

外気に直接触れる外壁や屋根の面積が増えれば、それだけ熱環境的には不利になる。複雑な形状とする場合には、不要に光熱費が増加しないよう、断熱性能もしっかりと確保する必要がある。

外壁や屋根の形状が複雑になると、部材どうしの接合部からの雨漏りのリスクが高まることに。将来的に修繕費が割高になる傾向があるので、事前の修繕計画も欠かさず検討しておこう。

家具を購入するか、造作家具にするかでもコストは変わってくる。前者は自己資金での準備となるが、後者は費用を住宅ローンでまかなえる。造作家具の方が、結果的にメリットが多い。

※断面形状とは、右頁の下の図のように建物を断面で見た際の「複雑さ」を表すものです

プラン・断面形状変更によるコストアップの例

プランで変わるコスト

プラン形状が凸凹している場合、基礎、木工事（躯体）、外壁の値段が増え、標準プランから約200万円のコストアップになります。

標準プラン

60 ㎡　10m　6m

3500 万円

仮設120万円／基礎230万円／木工事1280万円／屋根120万円／外壁230万円／建具180万円／内装 230万円／家具60万円／設備520万円／外構180万円／諸経費350万円

変形プラン

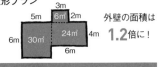

3m　6㎡　2m　5m　外壁の面積は **1.2**倍に！　6m　30㎡　24㎡　4m　6m

3750 万円

仮設120万円／基礎280万円／木工事1330万円／屋根180万円／外壁280万円／建具180万円／内装260万円／家具60万円／設備520万円／外構180万円／諸経費360万円

断面形状で変わるコスト

バルコニーと下屋を付けた場合、基礎、外壁、特に木工事（躯体）の値段が増え、標準プランから約450万円のコストアップになります。

標準プラン

1.0　1.0

3500 万円

仮設120万円／基礎230万円／木工事1280万円／屋根120万円／外壁230万円／建具180万円／内装 230万円／家具60万円／設備520万円／外構180万円／諸経費350万円

変形プラン

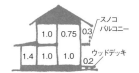

スノコバルコニー　1.0　0.75　0.3　ウッドデッキ　1.4　1.0　1.0　0.2

3980 万円

仮設120万円／基礎280万円／木工事1480万円／屋根170万円／外壁280万円／建具180万円／内装350万円／家具60万円／設備520万円／外構180万円／諸経費360万円

KEYWORD

敷地条件

敷地条件によっては、駐車場の土間コンクリート、フェンス、擁壁^{ようへき}、目隠しのための植栽などに大きな費用がかかる。事前調査の上、十分な予算を確保しておこう。

Question 16 材料や設備、どこをどう変えると コストに差が出るの？

住宅の部位によって コストの違いが出るポイントは違います

　住まいの建築に使われる外壁や床材、壁紙などの材料や、キッチン、浴室などの設備etc.　素材やデザイン、機能などによって、多くの選択肢があります。家づくりの楽しさは、これらの選択を積み重ねて自分の好みのイメージを形にしていくことでしょう。このとき、頭を悩ませるのが何を選ぶかによってコストが違ってくること。ここでは、住宅の部位別に、どんな選択をすればコストが上がるのか、または抑えられるのかをまとめてみました。予算をかける場所、節約する場所を考える参考にしてください。

外構 ① (庭廻り)

ウッドデッキの有無や植栽範囲で コストが変わる

　外構工事は本体工事とは分けて見積りされます。どんなに狭い敷地でも外構工事費がゼロになることはありません。リビングやダイニングが庭に面する部分には、ウッドデッキや縁側などがあると豊かな空間になります。敷地の境界には目隠しフェンスも必要です。植栽は癒し効果だけでなく、目隠しや日射制御としても機能します。最近は雨水貯留タンクも人気です。敷地が大きいほど外構にかかる費用も増えるので注意が必要です。

大きな敷地はコストも大きくなるので
要注意

ブロック積み＋フェンス　2万5000円/m〜
高木（2.5m以上）5万円/本〜
中木（1.5m前後）1万円/本〜
低木（1m以下）数千円/本〜
芝　5千円/㎡〜
ウッドデッキ　3万円/㎡〜

外構②（玄関廻り）

玄関前は家の顔
ポストや表札など不可欠なものが多い

アプローチや駐車場の仕上げは、砂利敷き、コンクリート、インターロッキングなどさまざま。自転車置場やカーポートもつくり方でコストが変わります。道路に対して高低差がある敷地なら、擁壁や階段、スロープが必要となり、大きなコストアップにつながります。玄関には表札だけでなく、ポストや宅配ボックスも必要です。玄関前は家の顔になる部分なので、予算を見落とさないように最初に予算確保しておく必要があります。

高低差のある敷地では
予想外の出費に注意

高低差のある敷地の場合、隣地との関係で、擁壁の設置や、高基礎・深基礎といった基礎の工夫が必要になる場合も。これらの工事が発生する場合、予想外の出費になるので、早い段階での検討が必要です

外構アイテムのバリエーション

玄関ポーチ

15万円／㎡〜。玄関前には、大きなポーチがあると雨の日に濡れずに身仕舞いができて便利。宅配ボックスや、ベンチを置くスペースとしても活用できる

宅配ボックス

1万5000円／台〜。不在時でも荷物を受け取ることができ、非対面で受け取れるので感染症防止策としても◎。簡易なボックス型や、ポスト兼用の錠付き型などがある

境界フェンス

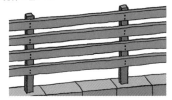

隣地境界に必要に応じて設置。境界を示すだけならブロックだけ、目隠しを兼ねる場合は遮蔽性の高いフェンスとなり、費用も種類や高さに応じて5000〜5万円／mと幅広い

物置

2万円／台〜。タイヤ、園芸用品、アウトドア用品など、屋外で使うものを収納する場所として1台あると活躍。大きさや耐久性に応じて価格が変わる

仕上げと形状によって
コストが変わる

　屋根はどんな屋根材なのか、どんな形の屋根なのかによってコストが違ってきます。最近は軽量で安価なコロニアル葺きが一般的。屋根の形は、寄せ棟や切り妻といった勾配のある屋根か、陸屋根かになりますが、複雑な形状の場合、役物と呼ばれる部材が増えるためコストアップになります。屋根の葺き方で雨樋の長さが、仕上げ材料でメンテナンスのサイクルが変わってくるので、慎重に選定しましょう。

ガルバリウム鋼板

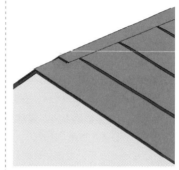

ガルバリウム鋼板立ハゼ葺き9000円／㎡～、横葺き1万円／㎡～。従来のトタン屋根（亜鉛メッキ）と違いアルミと亜鉛でメッキされているので、防錆性・耐久性が大幅に向上されている屋根材。板厚0.35mmと、屋根材の中でも板厚が薄くて軽いのが特徴

屋根材のバリエーション

スレート（コロニアル葺き）

7500円／㎡～。セメントと無機質繊維を混ぜて成形したもの。表面に塗装を施して防水性や耐久性をもたせているため、定期的なメンテナンスが必要

アスファルトシングル

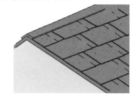

6500円／㎡～。無機質繊維の基材をアスファルトで塗覆し、表面に細かい砂利を付けて着色したもの。曲面や複雑な屋根にも施工しやすい

日本瓦（釉葉瓦）

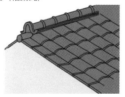

1万6500円／㎡～。瓦の表面に釉薬を塗って焼き上げた陶器瓦（釉薬瓦）が一般的。色が多彩で耐久性に優れている

洋風瓦（F型瓦）

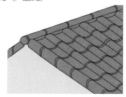

1万1000円／㎡～。粘土をベースとした粘土瓦が一般的。フラットな形状の「F型瓦」と凹凸が明瞭で立体感のある「S型瓦」の2つに大別される

外 壁

材料の耐蝕性・耐候性を よく理解して選ぼう

　外壁は建物を印象づける大事な要素。タイル、モルタル塗り壁、サイディング、ガルバリウム鋼板、木板などそのバリエーションもさまざま。防火地域や準防火地域など、建てる地域によっては外壁に燃えにくい素材※を使用しなければなりません。また、材料によってメンテナンスのサイクルが大きく変動します。壁材のみならず、隙間を埋めるコーキングは壁材よりも耐久性が短くなることが多いため、特に注意しましょう。

サイディング

6000円／㎡〜。セメントと繊維質を原料とした板状の外装材。火に強く、軽量で施工性がよく安価。防水・気密性を確保するためにジョイント部に施すシーリングの劣化に注意が必要

壁材のバリエーション

ガルバリウム鋼板

1万1000円／㎡〜。薄くて軽く、耐久性・耐蝕性・耐震性に優れるが、海岸部など塩害のある立地の場合は要注意

モルタル塗り

1万1000円／㎡〜。モルタルを塗った後に塗装を施す。味わい深い質感で、ひび割れると防水性能が低下するので細めに補修が必要

木板

1万1000円／㎡〜。あたたかな風合いをもつ。天然材のため腐朽や虫害などにも注意が必要。防火・準防火地域などでは使用に際して一定の制限を受ける

タイル張り（乾式工法）

1万6500円／㎡〜。下地板の上に接着剤などで張ったり、引っ掛けたりして施工する。耐候性に優れるが、コストは割高となる

※建築基準法で定められた不燃性をもつ素材。地域の防火規制や建物の構造などにより一定の性能が求められる

開口部選びは室内環境や
光熱費も考慮に入れて

　サッシの種類は、アルミ、アルミ樹脂複合、樹脂、木製に大別されます。ガラスもペアガラスや、断熱防音性能の高いトリプルガラスが選べます。単価は高くても、室内環境や日々の光熱費を考え、断熱性能の良いものどうしの組み合わせとするのが◎。Low-Eガラスは、特殊な金属膜をコーティングし断熱効果を高めたガラス。夏は太陽の熱を反射し、冬は室内の熱の流出を防ぎます。準防火地域内では窓の形状や種類に制限があるので要確認。

高機能になるほど価格もアップ

窓
アルミサッシ　2万2000円／カ所〜
アルミ樹脂複合サッシ
　　　　　　　3万3000円／カ所〜
樹脂サッシ　3万8000円／カ所〜
木製サッシ　11万円／カ所〜
※ガラスはLow-Eペアガラスとして算定

玄関ドア
35〜65万／カ所〜装飾性の高いドアや、2枚で1組の親子ドアなどデザインによって価格の高いものがいろいろある。また、最近はセキュリティを強化したものも多くなっている。カードキーやスマートキー、指紋認証タイプなど、導入しているセキュリティのレベルによってもコストがアップする

主な窓の種類

引違い窓

最も一般的な開き方。鍵が中央と両端にある場合とあります。シャッター付きや格子付きなどバリエーションも豊富

片引き窓（スライディング窓）

左右の片方がFIX窓で、もう片方や2枚がスライドする窓。大開口の掃き出し窓部分に有効。価格は高め

折りたたみ窓（フォールディング窓）

窓を折りたたんで開閉する窓。大開口の掃き出し窓部分に有効。価格は高額。気密性能は低くなる

縦辷り出し窓

縦方向を回転軸として、室外側へすべり出しながら開く窓。自然な風と取り入れたい場所に有効。比較的安価

横辷り出し窓

横方向を回転軸として、室外側へすべり出しながら開く窓。通風時の出口の窓として有効。比較的安価

片上げ下げ窓

上下2枚の障子のうち下側だけが動く窓。幅が狭い窓で風と通したい場所で有効。価格は高め

FIX窓

「はめ殺し窓」とも呼ばれる、開閉ができない窓。明かり取り窓として有効。コストは最安

玄関扉

**家の顔となる玄関扉は
選び方もバリエーション豊富**

玄関扉は家の顔になる大事な要素。家族が毎日見て触る部分でもあるので、用途に合わせてしっかり選びたいもの。グレードは既製の普及品から、木製の高級品、建具職人が製作するオーダーメイド製品まで、素材もアルミ製、鋼製、木製など組み合わせは多種多様です。開き戸、親子扉、引戸など開閉方法も用途に応じて選びましょう。もちろんデザイン性だけでなく、断熱性能、防犯性能も考慮して選ぶことを忘れずに。

防犯性能と断熱性能

錠
従来型のシリンダー錠だけでなく、近年はスマートキーと呼ばれる電子錠も普及。既製品のオプションとなっている場合もあれば、後付けできるタイプもある。カードキーで施解錠出来るほか、スマートフォンで施錠確認や遠隔操作することも可能

防火扉・断熱扉
準防火地域の場合は設置場所※によって、防火扉と呼ばれる防火性能の高い玄関扉を選ぶ必要がある。また断熱性能の低い扉の場合、「玄関が寒い」ということにもなりますので、熱貫流率（U値）もしっかりと確認しておこう

玄関扉のバリエーション

メーカー製金属扉	メーカー製木製扉	オーダーメイド木製扉

アルミや鉄で作られ、表面は化粧シート仕上げとなっていることが一般的。性能や錠の種類などに応じて5～50万円位まで価格帯の幅がある

断熱性能を重視した既製の木製扉。引戸などの選択肢もあり、無垢の木材で仕上げられている。自然素材なので定期的なお手入れが必要。価格は20万円～と少し高め

建具職人が製作するオーダーメイドの木製扉で、無垢の木材でつくられている。デザインも錠も自由に選べる。10万円～100万円と価格の幅も広い

※ 延焼ライン（隣の敷地や道路で火災が発生したときに、火が燃え移る可能性がある範囲）にかかる場所

内部建具

**既製品とするか、製作建具とするかで
価格が大きく変わる**

　建具メーカーの既製建具と、建具職人
が製作する製作建具とでは価格が大きく
違ってきます。既製建具の場合は、決め
られたもののなかから開閉方法や色や
ハンドルなどの金物を選びます。製作建具
の場合は、大きさも仕上げ材も金物も自
由に選ぶことができます。建具は鍵やク
ローザーの有無でもコストが変わってきま
す。部屋の用途や使い方によって開き戸
や引戸を使い分けることも有効です。

開き戸と引き戸の違い

・開き戸
丁番金物を軸にして前後に
開閉するタイプの戸。戸を
開く方向の空間が必要。基
本的には間仕切りとしては閉
めた状態が通常となる。洋
風な間取りに合う。気密性・
防音性を確保しやすい。

・引き戸
上または下のレールに沿って
左右に引いて開閉するタイプ
の戸。設置位置の左右のど
ちらかに戸1枚分のスペース
（引き残し）が必要。基本的
には間仕切りとしては開けた状
態が通常となる。和風な間
取りに合う。室内のスペース
を有効利用しやすい。

内部建具のバリエーション

既製建具

2万2000円／カ所〜。最も普及
している建具で、材質は木質建
材に化粧シート仕上げ。近年は
天井まである背高タイプも人気

製作フラッシュ戸

5万円／カ所〜。デザインにこ
だわりたい場合におすすめ。好
みの突板（木板を薄くスライス
した表面材）で仕上げることが
できる

製作框戸

10万円／カ所〜。框と呼ばれる
枠材で扉の四方を装飾的に囲っ
た建具で、高級感を演出できる。
リビングなどの扉におすすめ

製作ガラス框戸

17万円／カ所〜。框の中の鏡板
※の代わりにガラスを取り付けた
扉。人の出入りが多いリビング
の扉などに向いている

下レール引戸

5万円／カ所〜。扉の下にレー
ルがついた戸。開閉のスペース
が不要なため洗面やトイレな
ど狭い場所への設置がおすすめ

上吊り引戸

6万円／カ所〜。扉の上にレー
ルがついた引戸。開閉の音が気
になる場合や、部屋と部屋の間
をフラットに仕上げたいときに
使う

※ 額縁や框などの枠に嵌め込んだ一枚板。張りあがった状態のものに対して使われる名称

内 装

部屋の内装材は
用途に応じて変えても◎

　床の仕上げは用途に応じて、浴室であればタイル、リビングなら無垢材や合板のフローリング、クッションフロアなどを選べます。壁は一般的なビニルクロスに加え、漆喰や珪藻土などの塗り壁、木板など多彩な質感が選べます。天井は壁と同じ仕上げとするのが一般的ですが、部分的に材料を変えたり、部屋ごとに仕上げを変えることも可能です。メンテナンス費用や周期も考慮した上で、部屋の用途に応じて選択しましょう。

自然素材系の仕上げ材

無垢材や漆喰などの自然素材系の材料は、調湿機能を持ったものも多い。調湿機能があると膨張と収縮もするので、隙間や割れが生じることを留意しておくことも必要。メンテナンス費用や周期も考慮した上で部屋の用途に応じて選択しよう

無垢フローリング　5500円／㎡～
漆喰・珪藻土　4000円／㎡～

天井仕上げ

天井の仕上げは壁と同じにすることが多いが、部分的に材料を変えたり、部屋ごとに仕上げを変えることも可能

ビニルクロス　1500円／㎡～
紙クロス　2200円／㎡～
ボードペンキ　2700円／㎡～
ベニヤ　4000円／㎡～

壁仕上げ

壁の仕上げは一般的なビニルクロスに加え、漆喰や珪藻土などの塗り壁、木板など多彩な質感が選べる

ビニルクロス　1500円／㎡～
紙クロス　2200円／㎡～
天然石　1万2000円／㎡～
木板　4500円／㎡～
漆喰・珪藻土　4000円／㎡～

床仕上げ

床の仕上げ材はすべて同じものにするのではなく、用途に応じて変えることも必要。リビングやダイニングなどは広葉樹などの堅めのフローリング、寝室や子ども室は柔らかい針葉樹のフローリング、キッチンなどは柔らかくて足が疲れにくいコルクタイルなどを選ぶのもよい

コルクタイル　9000円／㎡～
合板フローリング
　　　　　　3300円／㎡～
クッションフロア
　　　　　　3000円／㎡～
タイル貼　9000円／㎡～
カーペット　5000円／㎡～
無垢フローリング
　　　　　　5500円／㎡～

51

造り付け家具なら住宅ローンで
まかなえる

　玄関収納、トイレ収納、テレビ台、カップボード※などの家具は、暮らしやすさを決める重要な要素。竣工後に購入する置き家具とするよりも、造付けとするのがお勧め。空間を有効利用して、どんな場所にもすっきりと収められます。費用を住宅ローンでまかなうことができるのも利点。また、単価が高くても耐久性の高い無垢材などを用いれば、買い替えせず長く使えるので、結果としてライフサイクルコストも抑えられます。

家具に使う木材もメリハリをつけて

樹種によるコスト差

頻繁に荷重がかかるカウンターやベンチには硬い広葉樹を使い、壁や天井に取り付ける棚板には軽い針葉樹を使うなど、家具の種類に応じて樹種を使い分けよう。一般的に針葉樹よりも広葉樹の方が価格は高くなります。無垢材でなくても突板と呼ばれる薄い板を表面に張ることで、廉価で軽く好みのテイストに合わせた家具を実現できる

形によるコスト差

家具は扉や引き出しがあるとコストがかかる。オープンな棚にしてカゴを置いたり、お気に入りの家財はそのまま見せたりすることでコストダウンが可能だ。隠す収納、見せる収納などメリハリをつけて空間に変化をつけて

既成家具だけでなく造作家具を織り交ぜることで空間が豊かに

玄関収納

20万円～／カ所。最近はシューズインクロゼットを併設し、棚だけの玄関収納にすることも

洗面台

20万円～／カ所。既製品（54頁）も多いが、製作とすることも可能

テレビ台

10万円～／カ所。棚や配線孔を設けて、雑多なコード類やAD機器をすっきり収納できる

ダイニングボード

30万円～／カ所。電子レンジや電気ポットなど、小型の家電をしまうのに重宝する

スタディーカウンター

5万円～／カ所。場所を選ばず設置可能。幅はどれだけ長くてもOKだが、奥行きは最低でも450mm以上必要

クロゼット

5万円～／カ所。見えない部分ならコストを落としてハンガーパイプだけにすることも可

ベンチ

3万円～／台。リビングの片隅や玄関にベンチを造り付けておくと何かと便利。収納としても使える優れモノ

※ 皿やカップなどの食器を収納する棚

キッチン

こだわりを見せるキッチンは コスト差も大きい

　メーカー製の既製品とするか、完全オーダーとするかによってコストが変わります。アイランド型、L型など形状もさまざまです。水洗、コンロ、レンジフードなどの器具や、扉やカウンターの仕上げ材のグレードによっても価格が変わります。例えば、一般的な幅2550㎜のI型キッチンでも、選択肢によって50〜200万円のコスト差が出ることも。便利だからと不要に部品を追加するのではなく、自分のニーズに合った装備を考えましょう。

I型幅2550mm モデル

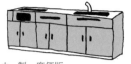

メーカー製　廉価版
55万円／カ所
メーカー製　標準グレード
80万円／カ所〜

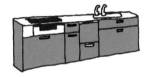

メーカー製　高級グレード
120万円／カ所〜
造作キッチン
55万円／カ所〜

浴室

コストと断熱性などから ユニットバスが主流の浴室

　現在では、ほとんどの新築住宅で、ユニットバス（システムバス）が採用されています。耐用年数は20〜30年で、交換用のパーツ販売も豊富というメンテナンスのしやすさも長所の1つです。古くからある在来工法は、仕上げ材や浴槽を自由に選べますが、コストがかかる、断熱性能が低い、排水処理が難しいなどの理由から、採用されることが少なくなっています。腰から下がユニットでその他が在来工法となるハーフユニットバスもあります。

一般的なシステムバス
1坪タイプ：
ユニットバス廉価版
45万円〜
ユニットバス標準グレード
70万円〜
ユニットバス高級グレード
110万円〜

在来工法の浴室
120万円／セット〜
1坪、タイル張り、
人造大理石の浴槽

トイレ

人気のタンクレストイレは
メンテナンスに難あり

　トイレもキッチンや浴室と同様、製品のグレードと追加する設備によってコストの差が大きく出ます。自動開閉や温風機能、便器内ライトなど、多機能のタンクレストイレが最近は人気ですが、電気仕掛けの駆動のため、故障も多くなります。メンテナンス性を考えると、従来型のタンク付きのトイレにコストメリットがあります。また、手洗い器を別に設ける場合は、10〜20万円のコストが追加で必要となります。

タンク付きの便器
廉価版　15万円〜
多機能タイプ　30万円〜

タンクレスモデルと手洗器
廉価版　30万円〜
多機能タイプ　45万円〜
別置き手洗い器　10万円〜

洗面台

サイズや機能性が
コストを左右する洗面台

　洗面台はキッチンと同じく、メーカー製の既製品の他、完全オーダーの造作にするかの選択肢があります。既製品はグレードによって5〜100万の幅があります。造作の場合は15万円〜ですが、家事室のカウンターと一体型の形状にしたり、鏡裏収納を三面鏡やスライド鏡にしたりするなど細かい部分でトータル金額の差がつきます。カウンター下をオープンにするか、扉にするか、引き出しにするかもコスト差の主要因になります。

メーカー製の廉価版
幅750mm：7万円〜

メーカー製の
標準グレード
幅900mm：25万円〜
メーカー製の
高級グレード
幅1200mm：60万円〜

造作洗面台
20万円〜

いつかは必要になるものは
最初から用意しておく

　現在は問題なく使えるマイホームでも、怪我をしたり、歳をとって足腰が弱くなったりすれば、使いにくい部分がでてくるものです。玄関や水廻りには、最初から手摺をつけておくことでいざというときに役立ちます。一方、段差をなくしてスロープにするなど、最初から車椅子仕様にしてしまうと、健常時には不便なことも。費用対効果の高いバリアフリー対策は「暖かい家にする」こと。ヒートショック対策となるだけでなく過ごしやすく経済的です。

見えない場所にも準備が必要

将来、車椅子での生活が見込まれる場合は、廊下幅を広くし、段差は解消しておく必要がある。階段昇降機や、家庭用ＥＶを後付けできるようスペースや取付下地を準備しておこう。子ども部屋の間仕切を取り外し可能な壁にするなど、間取り変更しやすくしておくこともバリアフリー対策につながる

手摺の設置場所とコスト

玄関

定番の壁面固定型（5000円／カ所〜）、しっかり床から支える支柱型（8000円／カ所〜）、ちょっと掴まるのに好適な点タイプ（3000円／カ所〜）などがある

階段

5,000円／カ所〜。重度の歩行障害がある場合は廊下だけでなく、目的の場所まで連続して設置してあることも重要。階段の出入口や引戸の前には、遮断機式手摺（1万円／カ所〜）や脱着手摺（8000円／カ所〜）などがお勧め

トイレ

立つ・座るの動作に使いやすいL字型（8000円／カ所〜）が一般的。左右両方など、必要な手摺は障害によって異なる

浴室

5000円／カ所〜。立つ・座る・跨ぐの動作が必要な場所にバータイプの手摺を設置。設置には下地が必要なため、新築時から用意しておく必要がある

※ 下地補強は各カ所2000円〜

給湯器

熱源をガスにするか電気にするかがコストの分かれ道

　給湯器は熱源をガスにするか電気にするかがポイント。ガス熱源は、一般的なエコジョーズ、ガスエンジンでの発電も行うエコウィル、燃料電池発電を行うエネファームなどがあります。電気熱源はエコキュートが一般的です。キッチンコンロがIHなら、給湯器を電気熱源に変えてオール電化とすれば、ガス工事とガス使用基本料金のコストを抑えることができます。給湯と発電を同時に行うタイプは、利用量の多い大家族向けです。

「エコジョーズ」
22万円／台〜。燃焼ガスを温め、高温となったガスの熱を利用してお湯をつくる

「エネファーム」
150万円／台〜。都市ガス・LPガスを燃料に、自宅で発電する装置。発電時の排熱を利用してお湯をつくる

太陽光発電パネル

将来的には蓄電池を併用しての自家消費が主流となる

　近年の電気料金の急激な値上がりもあって太陽光パネルの設置ニーズが高まっています。太陽光発電は、光熱費を削減できる、停電時に電気が使える、環境負荷を減らすことができるなどメリットが多いものです。設置費用だけでなくメンテナンス費用がかかる、台風で壊れた時の修理費などのランニングコストも理解しておきましょう。将来的には、蓄電池を併用した自家消費が主流になっていくと思われます。

太陽光発電パネル

30万円／KW〜。パワーコンディショナーの寿命は10〜15年程度

※FITの対象となる住宅用太陽光発電の余剰電力は、固定価格での買取期間が10年間と定められている。よって2009年11月に開始したFITの適用を受けたものは、2019年11月以降、10年間の買取期間を順次満了していく。FIT後は、「売電」ではなく、「家庭内消費」が主流となる。エコキュートと太陽光発電を組み合わせた「おひさまエコキュート」の導入も広がっています。

機種の選定は断熱性能と部屋の用途・規模で決める

　冷暖房設備は、住宅の断熱・気密性能や、部屋の用途・規模に合わせた設備を選定するのが肝要です。暖房設備は、エアコン、床暖房、薪ストーブなど選択肢もさまざまですが、開放型[※1]と呼ばれる機器は一酸化炭素中毒の危険があるので使用を避けましょう。冷房設備はエアコン1択。各室ごとの個別空調が一般的でしたが、住宅が高断熱・高気密化したことにより、エアコン1台での全館冷暖房（全館空調）も普及してきています。

エアコンのグレード

普及機種
一般に普及している機種。最小限の冷暖房機能をもち、相場は冷暖房面積6畳で7万5000円～、8畳で10万円～。滞在時間の短い寝室や子ども部屋などにおすすめ

上位機種
空気清浄機能やセンサー機能、フィルター掃除機能、再熱除湿機能、スマートフォン連携機能などの付加機能が搭載された機種。最近は換気や過失の機能を備えた機種もある。相場は冷暖部面積10畳で30万円～と高めだが、省エネ性能が高く電気代が安く済むので、使用頻度の多い部屋や面積の広い部屋へ設置するのがよい

冷暖房設備のバリエーション

エアコン

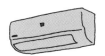

個別空調とする場合は、上段で述べたように部屋の大きさに応じた機種を選ぶのが基本。建てる家の性能に合わせた選定とする[※2]ことも大事だ

石油ファンヒーター

2万円／台～。使用時には電源を使うが、立ち上がりが早く小さな部屋を早く暖めたいときに有効。燃料の灯油を補充する手間がかかる

温水式床暖房

4万円／㎡～。熱源機で加熱した温水を利用した床暖房。初期費用は電気式［下］より高いが、電源を切った後も予熱で暖房効果が持続するので、光熱費は安く済む

電気式床暖房

3万円／㎡～。電熱線パネルを利用した床暖房。パネルを入れるだけのシンプルな構造で初期費用が安いのがメリット。温める場所を部分的に制御することも可能。光熱費は高くなる。

ガスファンヒーター

3万円／台～。ガスを燃料とするため、燃料タンクが不要で扱いやすく、立ち上がりも早いのがメリット。オール電化の場合はガス契約によって初期費用が高くなることも

薪ストーブ

50万円／台～。初期費用は高いが、インテリア性が高く、炎の揺らぎによるリラックス効果も大。煙突掃除や灰の片付けなど定期的な管理や、薪の保管場所が必要

ペレットストーブ

30万円／台～。木くずなどを圧縮した「木質ペレット」を燃料とする暖房器具。薪に比べて煙の発生が少なく、大きな煙突は不要[※3]。燃料もネット通販で手軽に入手できる

※1　燃焼に使った機器からの排気を室内に放出する暖房機器｜※2　カタログ記載の能力（畳数）は、低い断熱性能（断熱等級2程度）の家の場合のものであるため｜※3　煙突は不要だが、壁に孔を開けて排気筒を設置する必要がある

断 熱 性 能

断熱性能を高めることが結果的に
コストダウンになる

　新築時には少しでもコストを抑えたい
もの。しかし新築時にコストを抑えすぎる
と住み始めてからコストが余計なコストが
かかる結果になることも。生涯費用（ラ
イフサイクルコスト）で考えると光熱費が
3.5倍［下］の差が生じてきます。地域※
によって必要となる断熱性能も変わるこ
とにも注意。2022年4月からは断熱等級5、
10月からは等級6、7が新設されています。
最低でも等級5基準、できれば等級6を確
保しておくことをおすすめします。

断熱性能を示す基準の1つ「UA値」

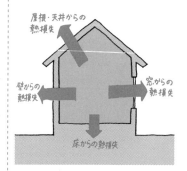

断熱性能を考慮する際に欠かせない値の1つが
「UA値（外皮熱貫流率）」。住宅の外皮（壁や天井、
屋根、窓など）の熱量の伝わりにくさを表す数
値で、この値が小さいほど性能が高いことを表
す

断熱等級の一覧表（6地域の場合）

断熱等級	UA値 （W／㎡k）	断熱等級3の住宅とのコスト比較	
		建設コスト[*1]	ランニングコスト[*2]
7	0.26	＋400万円	－15万円／年
6	0.46	＋200万円	－10万円／年
5	0.60	＋150万円	－5万円／年
4	0.87	＋100万円	－2.5万円／年
3	1.54	－	－
2	1.67	－	＋5万円／年

＊ 首都圏近郊地域、30坪、4人家族、子育て世帯での利用を想定

気密性も同時に確保して
暖かい家を実現するには、断熱性能と同時に
気密性を確保するのがポイント。セーターだけ
でなくウィンドブレーカーを着ることと同じ原
理です。気密性能が高い家は、室内の空気が
外に漏れにくく、換気の効率もよくなる

断熱等級3→断熱等級6で光熱費大
幅ダウン
1年間の冷暖房負荷を考えたとき、等級3の
住宅と比較して、等級6の住宅では2／3程
度まで負荷を抑えることができます。断熱性を
上げるための初期費用がかかったとしても、光
熱費を含めて考えればおトクと言えるだろう

省エネ住宅

一定基準まで性能を上げれば金銭的なメリットも大きい

ある一定以上の省エネ性能を確保することで、補助金など金銭的な恩恵も受けられます。ここでは、主に3つの住宅タイプ（仕様基準）について解説します。

LCCM（ライフ・サイクル・カーボン・マイナス）住宅

建設時、運用時、廃棄時において出来るだけ省CO₂に取り組み、さらに太陽光発電などを利用した再生可能エネルギーの創出により、住宅建設時のCO₂排出量も含めライフサイクルを通じてのCO₂の収支をマイナスにする住宅のこと。ZEH住宅の性能に加え、建設時や廃棄時のCO₂排出も最小限にする。補助額は上限125万。

太陽光パネル
換気塔
LED照明
分散配置
高効率
給湯器
大開口
冬
夏
木製ルーバー
（地域木材の利用）
高炉セメント
コンクリートの利用

ZEH（ゼロ・エネルギー・ハウス）住宅

「断熱」「省エネ」「創エネ」の効果を取り入れることによって、年間の「消費エネルギー」量を0（ゼロ）以下にする、つまり100%自家発電の住宅。高断熱・高気密の性能だけでなく、省エネ性能の高い住設機器や換気装置、照明器具を採用し、太陽光発電パネルなどの創エネ設備の設置を要する。認定されれば、国の補助金制度を活用することができる。補助金額は55～100万。

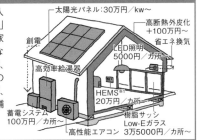

太陽光パネル：30万円／kw～
高断熱外皮化
＋100万円～
省エネ換気
創エネ
LED照明
5000円／カ所～
高効率給湯器
HEMS※1
20万円／カ所～
蓄電システム
100万円／カ所～
樹脂サッシ
Low-Eガラス
高性能エアコン　3万5000円／カ所～

長期優良住宅

長期優良住宅とは、長期にわたり良好な状態で使用するための措置が講じられた住宅のこと。具体的には、「安定した構造の確保」「一定面積以上の住戸面積※2」「居住環境などへの配慮」「自然災害への配慮」「維持保全・更新の容易性の確保」といった基準を満たす必要がある。所得税などの各種税金の減税措置、住宅ローン控除や住宅ローン金利の引下げ、地震保険料の割引、地域型住宅グリーン化事業による補助金などの優遇措置を受けることができる。

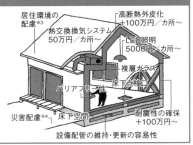

居住環境の
配慮※3
熱交換換気システム
50万円／カ所～
高断熱外皮化
＋100万円～
LED照明
5000円／カ所～
複層ガラス
バリアフリー性
床下点検口
耐震性の確保
＋100万円～
災害配慮※4
床下空間
設備配管の維持・更新の容易性

※1　エネルギーを見える化するだけでなく、家電、電気設備を最適に制御するための管理システム｜※2　戸建ては75㎡以上
※3　自治体の各条例等に適合させること｜※4　崖下などレッドゾーンへの建築を避けること

構造性能

家族の命を守るためにも耐震性能をしっかりと確保

　建物の耐震性には4つの要素が関係します。1つ目は「建物の重さ」。屋根や外壁の重量が軽くなれば、地震時の揺れに対する振幅が小さくなります。2つ目は「耐力壁の量」。地震時の揺れに抵抗するための壁をしっかり確保します。3つ目は「耐力壁のバランス」。バランスが悪い耐力壁の配置では地震時に逆に弱い建物にもなります。4つ目は「床の強さ」。壁だけ強くするのではなく、床や屋根も同時に強くする必要があります。

建物の重心を低くする

耐力壁はバランスよく均等に

床のねじれが建物全体のねじれにつながる

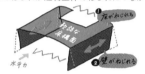

地震にもっと強い家にするためにかかるコストの目安

建築基準法で施工されている家は、「震度6強〜7程度の地震で、損傷はしても倒壊や崩壊しない」ことが目安の基準。しかし耐震基準をクリアしていても、繰り返しの地震などでは想定外の被害を受ける場合もあります。より強い耐震性能を望む場合には、「制振装置」「免振装置」の導入を検討するのもよいでしょう。

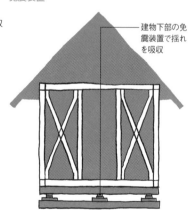

制震装置 ─ 制震装置が揺れを吸収

免震装置 ─ 建物下部の免震装置で揺れを吸収

建物の各階の壁内などに組み込まれ、地震エネルギーを吸収して揺れを減らしてくれる装置。コストの目安は50〜100万円

免震装置は建物の基礎などの間に設置され、地震の揺れを建物に伝えないようにする装置。コストの目安は300〜500万円

耐震性能

繰り返される揺れに備えた家づくりを

　耐震性能を見る際の指標となるのが、品確法[1]に規定される「耐震等級」。性能が低い順に1〜3まで等級が定められており、現行の建築基準法で規定する最低限の基準をみたすものが等級1に相当します。注意すべきは、1回の揺れに対しての基準だということ。熊本地震や能登地震のように、繰り返される揺れは考慮されていません。「命を守る」だけでなく「住み続ける」ためにも、耐震等級3の性能を確保しておきたいものです。

構造等級アップに伴うコスト負担

基礎の鉄筋量を増やす	＋10万円
柱や梁の量を増やす	＋60万円
耐震金物[2]が増える	＋20万円

等級1を等級3にアップする場合、「基礎の鉄筋量が増える」「柱や梁の量が増える」「耐震金物が増える」などのコストが生じます。住宅会社にもよりますが、30坪程度の家の場合、目安として100万円〜200万円のコスト増となる

大地震時の損壊状況と耐震等級

損傷ランク	Ⅰ（軽微）	Ⅱ（小破）	Ⅲ（中破）	Ⅳ（大破）	Ⅴ（破壊）
損傷イメージ					
傾き	残留変型無し	残留変型無し	残留変型あり（傾き<1/20）	残留変型あり（傾き≧1/20）	倒壊
基礎	換気口周囲のひび割れ（小）	換気口周囲のひび割れ（大）	ひび割れ多大、破断なし、仕上げの剥離	ひび割れ多大、破断あり、土台の踏み外し	破断、移動あり、周辺地盤の崩壊
外壁	モルタルひび割れ（微小）	モルタルひび割れ	モルタル・タイル剥離	モルタル・タイル脱落	モルタル・タイル脱落
開口部	隅角部に隙間（微小）	開閉不能	ガラス破損	建具破損・脱落	建具破損・脱落
構造体	損傷なし	損傷なし	接合部ずれ・めり込み	折損、座屈、めり込み	倒壊
修復性	軽微	簡易	やや困難	困難	不可
一般的な地盤での耐震性能の基準	―	耐震等級3	耐震等級2	建築基準法に適合・耐震等級1	

（損傷状況）

※出典『ヤマベの木構造』（エクスナレッジ）

※1 住宅性能表示制度や新築住宅の10年保証などについて定めた法律。「正式には住宅の品質確保の促進等に関する法律」という
※2 構造体の接合部を補強する金物

Question
17

＜実例＞見積金額約3800万円の家
プラン変更でコストはどうなる？

グレードをアップしたり、ダウンしたり。
プラン変更をすれば金額は大きく変わります

　家を建てるときのコストは、構造や工法、大きさ、間取り、使用材料などさまざまな要素によって上下します。ここでは家の大きさや間取りはそのままで、使用する材料、設備などを変更するとコストはどう変わるのかを実際の例をもとに検証してみます。基本プランとして選んだものは、都市近郊に建つ凹凸の少ないシンプルな木造在来工法、総二階の家です。約100㎡の大きさで、外構費も含めて工事費見積もり3800万円（税込）です。

工法：木造在来工法
床面積：延床面積100.61㎡（約30坪）、（1階54.65㎡、2階45.96㎡）
プランのポイント：ダイニングキッチンを中心とした4人家族が暮らす家

こんな間取り

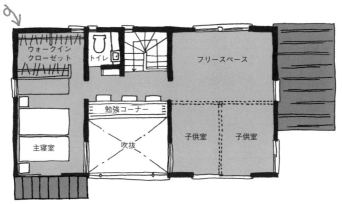

2階

ダイニング上の吹抜けを介して、勉強スペースや子ども室とつながっており、家族の気配を感じることが出来る間取り。子ども室に併設したフリースペースは、将来子どもが増えたときには仕切りを付けて個室にすることもできる

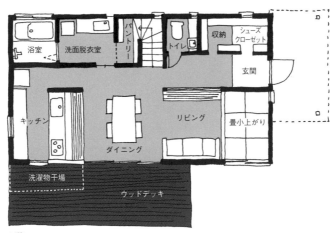

1階

子育て家族にとって使いやすいキッチンからダイニングリビングへとすべてが見渡せるレイアウト。リビングには客間と兼用できる畳小上がりもある。キッチン脇にはウッドデッキと連続した洗濯物干しスペースも

見積金額 **3800** 万円

見積金額の内訳を見てみよう → 64頁へ

見積書を見ると工事の細かな内訳が分かる

　これは基本プランの見積書からの一部抜粋です。【1】は、おおまかな工事別の金額が書かれているもの。【2】は「建築工事」の工事内容をさらに細分化したものです。

【1】「工事費内訳書」　見積金額3800万円の内訳はコレ※

名　称	材料・形状・その他	数量	単位	単　価	金　額	備　考
1. 地盤改良工事		1	式	0	0	
2. 建築工事		1	式	23,027,000	23,027,000	
3. 家具工事		1	式	518,000	518,000	
4. 住宅設備工事		1	式	2,082,000	2,082,000	
5. 電気設備工事		1	式	2,056,000	2,056,000	
6. 給排水衛生設備工事		1	式	1,179,000	1,179,000	
7. ガス設備工事		1	式	627,000	627,000	
8. 外構工事		1	式	1,925,000	1,925,000	
諸経費		1	式	3,141,500	3,141,500	
小計					34,555,500	
消費税（10%）		1	式	3,455,550	3,455,550	
合計					38,011,050	

【2】「工事費内訳明細書」　建築工事の内訳※

名　称	材料・形状・その他	数量	単位	単　価	金　額	備　考
2. 建築工事						
仮設工事		1	式	1,343,000	1,343,000	
基礎工事		1	式	2,250,000	2,250,000	
木工事		1	式	12,379,000	12,379,000	
屋根・板金工事		1	式	1,036,000	1,036,000	
外装工事		1	式	1,995,000	1,995,000	
外部建具工事		1	式	1,008,000	1,008,000	
内部建具工事		1	式	884,000	884,000	
左官工事		1	式	937,000	937,000	
塗装工事		1	式	449,000	449,000	
雑工事		1	式	746,000	746,000	
工事別合計					23,027,000	

※見積の形式、工事名称などは住宅会社によって違います。
また、工法や構造、プランによって内容も違ってきます

見積書の標準的な構成を知っておこう

　見積書の形式は住宅会社や工務店によってさまざまです。標準的な見積もりは、「表書き」「工事費内訳書」「工事費内訳明細書」がセットになっています。先へ進むほど細分化され、工事内容ごとに使われている材料や設備の品番や金額が明確になります。どんな材料がいくらで使われているのかを知りたいときは、見積書をじっくりと読んでみるといいでしょう。

第2章　家を「建てる」ためにかかるお金はどこで差が出るの？

標準的な見積書の構成

表書き	ここに見積もりの総額が記載される。 他に施主名や工事名、日付などが入る。

【1】工事費内訳書	一般的には本体工事と付帯工事（別途工事）に分けられ、それぞれの費用が示される。 また、左頁の工事費内訳書のように、すべての工事金額が確定したうえで出す見積書の場合は、一般的には付帯工事費に分けられる外構工事費なども本体工事費に含まれた表記になる。

【2】工事費内訳明細書	工事の種類ごとに、使用される材料や施工費などの詳細が記載される。 住宅会社によっては標準仕様が決まっている商品の場合は、省略されることも多い。

標準外工事明細書	標準仕様にオプションをつけた場合などは、その費用が記載される。

　見慣れない言葉が並ぶ見積書。すべてを理解するのは難しいものです。ここでは、見積書には何がどんな風に書かれているのか、そのイメージをつかんでおきましょう。「設計費」や「諸費用（登記費用や税金など）」は見積書に含まれていないので、それらを含めた総費用を常に意識しておく必要があります。

家のデザインにかかわる外壁や窓
グレードを変えるとコストは大きく変わる？

　施工面積の大きな屋根や外壁は材料を変更することでコストが
大きく変わります。例えば外壁は、基本プランではサイディング
を使用していますが、重厚感のあるタイル貼りに変更するとコス
トはおよそ220万円アップ。屋根は基本プランのカラーガルバリ
ウム鋼板が一般的。耐候性の高い瓦葺きにした場合はコストが上
がります。窓はランニングコストに関わるので地域性も考慮して
できるだけ性能のよいものを選ぶようにしましょう。玄関ドアは
素材や性能値、デザインの他、オートロックにするなどセキュリ
ティのレベルによってもコストが違ってきます。準防火地域では
防火仕様の窓とする必要があり、50 ～ 100万円のコストアップと
なる場合があります。

基本プラン

グレードアップ or グレードダウンのケースをチェック！

基本プラン

＜屋根＞	カラーガルバリウム鋼板に防水加工（施工面積77㎡）	**70万円**
＜外壁＞	カラーガルバリウム鋼板（施工面積250㎡）	**280万円**
＜窓＞	アルミと樹脂の複合サッシ	**80万円**
＜玄関ドア＞	アルミ製断熱玄関ドア	**30万円**

基本プランから材料のグレードを

UP↑

＜屋根＞ 洋風瓦に変更	＋20万円
＜外壁＞ タイル貼りに変更	＋130万円
＜窓＞ 樹脂サッシに変更	＋20万円
＜玄関ドア＞ 木製断熱玄関ドアに変更	＋30万円

コストが
200万円 UP!

DOWN↓

＜屋根＞ コロニアル葺きに変更	−20万円
＜外壁＞ サイディングに変更	−120万円
＜窓＞ アルミ製サッシに変更	−30万円
＜玄関ドア＞ アルミの量産玄関ドアに変更	−20万円

コストが
190万円 DOWN!

※コストは施工面積や仕様などによって違います。ここでの数字は目安としてください

コストダウンの際、断熱性や耐候性などの性能が低くなり、結果的にランニングコスト（メンテナンス費、水道光熱費）のコストアップにつながることも念頭におくようにしましょう。

室内の雰囲気にかかわる壁紙や床材は
こだわりかコストか優先順位を考えて

　インテリア全体の雰囲気を決める床や壁などの内装材は、施工面積も広いため、選ぶ素材によって総コストが変わります。基本プランは壁と天井にスタンダードなビニルクロス。ビニルクロスも防汚や消臭、調湿などの機能があるタイプは単価が上がります。珪藻土や漆喰などの塗り壁はビニルクロスより高くなります。床材は無垢材のフローリングが人気ですが、樹種や木幅によってコストが変わります。また、床暖房の有無によって選択肢も限られてきます。室内ドアなどの建具も素材や既製品かオーダー品かでコストが違ってきます。内装は将来の張り替えを考えてコストを抑えるのか、調湿などの機能を求めるのか、または意匠的なこだわりを実現したいのか、優先順位を考えて選ぶといいでしょう。

基本プラン

＜建具＞
スタンダードな既製品（ガラス入り框タイプ製）の室内ドア

＜壁・天井＞
石膏ボードとビニルクロス

＜LDKの床＞
無垢材のフローリング

グレードアップ or グレードダウンのケースをチェック！

基本プラン

＜壁・天井＞	壁はビニルクロス、天井はスタンダードな1000番のビニルクロス（施工面積307㎡）	**55万円**
＜LDKの床＞	無垢材のフローリング（タモ材／ 施工面積50㎡）	**35万円**
＜建具＞	既製品（ガラス入框タイプ）の室内ドア（11カ所）	**55万円**

基本プランから材料のグレードを

UP↑	DOWN↓
＜壁・天井＞ 漆喰・珪藻土に変更　**＋70万円**	＜壁・天井＞ 壁を量産タイプのビニルクロス （500番台）に変更　**－6万円**
＜LDKの床＞ 無垢材のチーク材フローリングに変更 **＋25万円**	＜LDKの床＞ 合板フローリングに変更　**－15万円**
＜建具＞ 造作建具に変更　**＋25万円**	＜建具＞ 既製品（フラッシュタイプ）に変更 **－20万円**
コストが **120万円UP!**	コストが **41万円DOWN!**

※コストは施工面積や仕様などによって違います。ここでの数字は目安としてください

暮らしの利便性にかかわる水まわり設備は
こだわり度によってコストが大幅に変わります

　水まわり設備は、機能やデザインなどによって価格が大きく
違ってきます。基本プランは国内メーカーの主流になっている機
器を設置した場合のコスト。キッチンを人気のある高級タイプや
外国製のものに変更すると、数十万円単位で価格が上がっていき
ます。また、ビルトインタイプの食洗機やオーブンを追加すると
さらにコストはアップします。トイレは蓋の開閉や洗浄が自動の
フルオートタイプなど、高機能なものがいろいろ。一方で、便器
のみの場合は数万円で済むなど、こだわり度によってコストの幅
が広い設備です。浴室や洗面台もデザインや機能の好みで選べま
す。多機能なモノは利便性もよいものですが、故障も多くなるの
でメンテナンス性も考慮し、わが家にとって必要な機能は何かを
考えたうえで、適正な設備を見極めましょう。

基本プラン

＜キッチン＞
国内メーカーのスタンダードな
I型キッチン

＜バス＞
国内メーカーのスタンダードな
システムバス

＜1階トイレ＞
国内メーカーのタンクレストイレ

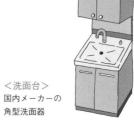

＜洗面台＞
国内メーカーの
角型洗面器

グレードアップ or グレードダウンのケースをチェック！

基本プラン

＜キッチン＞	国内メーカーのスタンダードなⅠ型キッチン （幅2250mm／価格は値引き後のもの／取り付け費込み）	**120万円**
＜1階トイレ＞	国内メーカーのタンクレストイレ(温水洗浄便座一体型／ 普及タイプ／取り付け費込み)	**20万円**
＜バス＞	国内メーカーのスタンダードなシステムバス （1坪タイプ／価格は値引き後のもの）	**65万円**
＜洗面台＞	国内メーカーの角型洗面器とカウンター （Sトラップユニット含む／価格は値引き後のもの）	**20万円**

基本プランから設備のグレードを

UP↑   DOWN↓

UP↑	DOWN↓
＜キッチン＞ 高級タイプのシステムキッチンに変更 **＋100万円**	＜キッチン＞ 国内メーカーの廉価版キッチンに変更 **−45万円**
＜1階トイレ＞ 国内メーカーの省エネやフルオート機能 が付いた機種に変更 **＋15万円**	＜1階トイレ＞ 国内メーカーのタンク一体型便器に変更 **−5万円**
＜バス＞ 国内メーカーの高級タイプユニット バスに変更 **＋55万円**	＜バス＞ 国内メーカーの廉価版ユニットバス に変更 **−20万円**
＜洗面台＞ 造作洗面台に変更 **＋20万円**	＜洗面台＞ 国内メーカーの廉価版洗面台 **−15万円**
コストが **180万円 UP!**	コストが **85万円 DOWN!**

※コストは施工面積や仕様などによって違います。ここでの数字は目安としてください

Question 18 ライフサイクルコストって何？

イニシャルコストとランニングコストを併せた住むためにかかる費用全体のこと

家を建てるときは、建設費用つまり初期費用だけに目が行きがちですが、実際は住み始めてから必要となる費用の方が初期費用よりも多くなります。「建設費用（イニシャルコスト）」だけでなく、「住み始めてから必要な費用（ランニングコスト）」を含めた「家に住み続けるために必要な費用」のことを、「生涯費用（ライフサイクルコスト）」と言います。

ランニングコストは、「光熱費」「火災保険」「税金」などの日々の生活に必要な費用と、「メンテナンス費用」など定期的に必要となる費用に分けられます。

現在の日本人の平均寿命は、男性81.1歳、女性87.1歳です。30歳台で家を建てた場合、50年以上住み続けることになります。今後の医療の進歩も考えると60年以上になる可能性も考えられます。特に子育て家庭や年金生活家庭にとっては、毎月かかる費用は極力少なくしたいもの。将来に必要となる費用も建設時にしっかりと見据えましょう。

ここが大切！

ランニングコストを減らす方法には「断熱・気密性能の向上」「中間期の通風」「冬期の日射取得」「夏期の日射遮蔽」「適切な照明計画」「高効率給湯設備や熱交換器の採用」などがある。

高耐久の外装材や屋根材を選ぶことで、耐用年数を10年延ばすなどが可能となり、メンテナンスの時期を遅らせられる。メンテナンスのしやすさや交換時の処分費なども考慮して選ぶことも大切だ。

設備機器や外装材、屋根の交換といった一戸建てのメンテナンスには、まとまった金額が必要になる（76〜79頁）。マンションの修繕積立金のように、メンテナンス費用として毎月積み立てておこう。

生涯費用でかかる費用（60年住み続けると仮定して試算）

「最初にかける費用を抑えたい」と、イニシャルコストだけを考えて家づくりをしてしまうと、結果的にランニングコストが多額になり、生涯に支払う金額が結果的に大きなものとなる

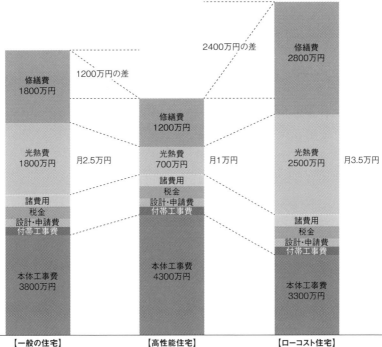

2400万円の差

1200万円の差

	修繕費1800万円	月2.5万円	修繕費1200万円	月1万円	修繕費2800万円	月3.5万円
	光熱費1800万円		光熱費700万円		光熱費2500万円	
	諸費用税金設計・申請費付帯工事費		諸費用税金設計・申請費付帯工事費		諸費用税金設計・申請費付帯工事費	
	本体工事費3800万円		本体工事費4300万円		本体工事費3300万円	

【一般の住宅】
合計 **8400**万円

【高性能住宅】
合計 **7200**万円

【ローコスト住宅】
合計 **9600**万円

住宅性能が重要

新築時に建設コストを抑えた結果、修繕費や光熱費がかさんでしまい、結果的にライフサイクルコストが多くかかることも。高性能住宅とローコスト住宅を比較すると、光熱費で約3.5倍、修繕費で約2.3倍の差が生まれる可能性がある。そのため、ランニングコストを抑えることができる性能を考えることが大切だ

老後まで考えた選択を

高性能住宅の場合、光熱費が毎月1万円で済むのに対し、ローコスト住宅だと月3.5万円もかかる場合がある。人生の後半に必要な支出は老後の年金生活の中で払うもの。毎月の大きな出費は余生の過ごし方に大きくかかわる。子育て期間はいろいろと出費も多いので、住み始めてからの支出は抑えたいもの

電気代は増える可能性大

電気代は年々値上げされており、今後もどんどん値上げされていく可能性が高いため、実際にはもっとランニングコストがかかることも。そのため、光熱費は値上がり分も見込んでおいたほうが安心。太陽光発電を設置したり、高効率な設備器具を採用することで、毎月の電気代を抑えることができる

Question 19

何年後にどのくらいの ランニングコストがかかるの？

家の維持・修繕費は約30年で 1800万円にもなります

　家を建てるときには初期費用に目が行きがちですが、実際は住んでからのランニングコストが大きな比率を占めるのです。ランニングコストを含めたトータルの費用（LCC）で家づくりのコストを考えておかないと、生涯でかかる費用が将来的に大きな負担に。ランニングコストは、光熱費、火災保険、税金などの日々の生活費に加え、メンテナンス費用など周期的に必要となる費用に分けられます。生活費は、一年中毎日かかる費用ですから、一日の費用は小さくてもトータルとしては大きな費用になっていきます。メンテナンス費用は、外壁や屋根の修繕費など回数は少なくても1回で数百万円かかるものも。外装材を高耐久のものに変えて耐用年数を延ばし、メンテナンス周期を子どもの就学タイミングなど出費の多い時期とずらして計画するなど配慮しましょう。メンテナンス費用は、マンションの修繕費と同じように、毎月積み立てておくことをおすすめします。

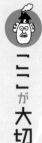

ここが大切！

住宅会社が提供する長期保証の中には、定期検査や修繕工事が住宅会社主導で行われ、結果的に大出費となるケースも。補償内容が自分のニーズに合っているのか事前に確認しておくとよい。

建物だけでなく、給湯器、食洗機、空調機などの設備にも耐久年数がある。メーカーにもよるが、およそ10年で更新が必要と考えておこう。取り替えやすい器具を選定しておくことも必要だ。

仕様を選ぶ際は、断熱性能を高めることがとても重要だ。光熱費を安く抑えられるだけでなく、健康に対してもメリット大。風邪や疾病にかかりにくくなり、ヒートショックの危険性も下げられる。

30年間で見た修繕費と水道光熱費

修繕費

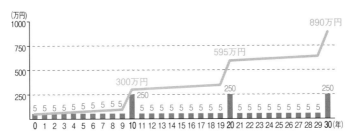

一戸建ての修繕費は毎年5万円、10年ごとに250万円にもなり、30年間トータルで約900万円と無視できない金額となる。マンションの管理費と修繕費（積み立て金）は、月平均2.5万円程度で、こちらも30年間では約900万円に。一戸建ても、マンションと同じだけ修繕費がかかるものといえる

光熱費

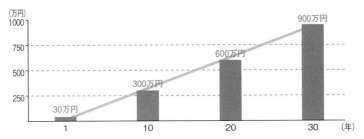

住宅の性能によっては、電気代が月に3万円以上かかる場合も。年間で平均して電気代が1万5000円、ガス代が5000円、水道代が5000円とすると、トータルで月2.5万円となる。年間30万円なので、30年間では900万円となる

30年でトータル約 **1800** 万円のコストがかかる

部位毎にかかるランニングコストを見てみよう　→ **76～79頁へ**

KEYWORD

高性能住宅

30歳代で家を建てた場合、断熱性能によっては維持費が初期費用の4倍[1]になることも。高性能住宅[2]なら、現行法基準の住宅[3]と比較して、光熱費だけでも30年で約540万円節約できる。[4]

※1　築60年間で試算した場合
※2　断熱等級6以上の住宅を指す
※3　断熱等級3の住宅を指す
※4　高性能住宅の電気代を月1万円、現行法基準の住宅を月2.5万円として試算

ライフサイクルコスト早見表（建築）

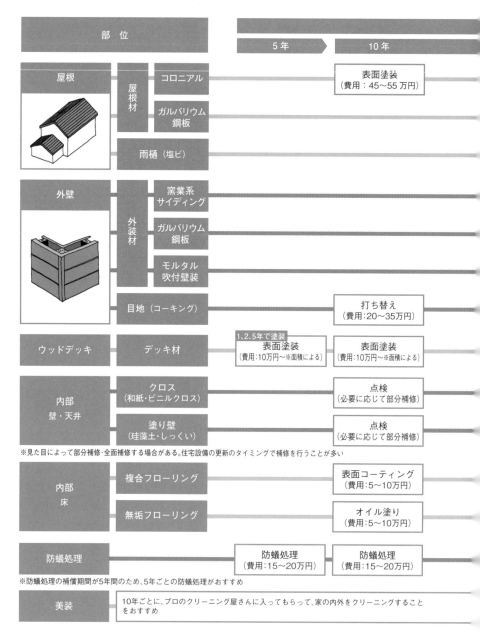

部　位			5 年	10 年
屋根	屋根材	コロニアル		表面塗装 （費用：45〜55万円）
		ガルバリウム鋼板		
	雨樋（塩ビ）			
外壁	外装材	窯業系サイディング		
		ガルバリウム鋼板		
		モルタル吹付壁装		
	目地（コーキング）			打ち替え （費用：20〜35万円）
ウッドデッキ	デッキ材		1、2、5年で塗装 表面塗装 （費用：10万円〜※面積による）	表面塗装 （費用：10万円〜※面積による）
内部 壁・天井	クロス （和紙・ビニルクロス）			点検 （必要に応じて部分補修）
	塗り壁 （珪藻土・しっくい）			点検 （必要に応じて部分補修）

※見た目によって部分補修・全面補修する場合がある。住宅設備の更新のタイミングで補修を行うことが多い

内部 床	複合フローリング			表面コーティング （費用：5〜10万円）
	無垢フローリング			オイル塗り （費用：5〜10万円）
防蟻処理			防蟻処理 （費用：15〜20万円）	防蟻処理 （費用：15〜20万円）

※防蟻処理の補償期間が5年間のため、5年ごとの防蟻処理がおすすめ

美装	10年ごとに、プロのクリーニング屋さんに入ってもらって、家の内外をクリーニングすることをおすすめ

<**注意事項**> （30坪の住宅で試算）
・屋根、外壁、雨樋、目地の工事を行う際には、足場代（20〜50万円）が別途必要となる
・塩害地域を除く
・交換材についてはすべて廃棄代が含まれている

メンテナンススケジュール

| 15 年 | 20 年 | 25 年 | 30 年 |

| 表面塗装
（費用：45〜55万円） | | 葺き替え
（費用：170〜220万円） |

| 表面塗装
（費用：45〜55万円） | ※20 年・35 年で表面塗装 | 50年後に
葺き替え
（費用：170〜220万円） |

| 表面塗装
（費用：35〜45万円） | | 部品交換
（費用：45〜55万円） |

| 表面塗装
（費用：80〜100万円） | | 貼り替え
（費用：120〜240万円） |

| 表面塗装
（費用：80〜100万円） | 50年後に
貼り替え
（費用：220〜330万円） |

| 表面塗装
（費用：80〜100万円） | | 貼り替え
（費用：330〜440万円） |

| 打ち替え
（費用：20〜35万円） | 打ち替え
（費用：20〜35万円）
以後10年毎 |

| 表面塗装
（費用：10万円〜※面積による） | 表面塗装
（費用：10万円〜※面積による） | 表面塗装
（費用：10万円〜※面積による） | 表面塗装
（費用：10万円〜※面積による） |

| 点検
（必要に応じて部分補修） | | 点検
（必要に応じて部分補修） |

| 点検
（必要に応じて部分補修） | | 点検
（必要に応じて部分補修） |

| 表面コーティング
（費用：5〜10万円） | | 張替え
（費用：1万円／㎡） |

| オイル塗り
（費用：5〜10万円） | | サンディングの上オイル塗り
（費用：20〜35万円） |

| 防蟻処理
（費用：15〜20万円） | 防蟻処理
（費用：15〜20万円） | 防蟻処理
（費用：15〜20万円） | 防蟻処理
（費用：15〜20万円） |

※汚水配管高圧洗浄・水廻り（キッチン・浴室・洗面所・トイレクリーニング、ガラス・網戸・雨戸クリーニング、
エアコンクリーニング、レンジフードクリーニング）

ライフサイクルコスト早見表（設備）

部　位		自分でできる消耗品交換

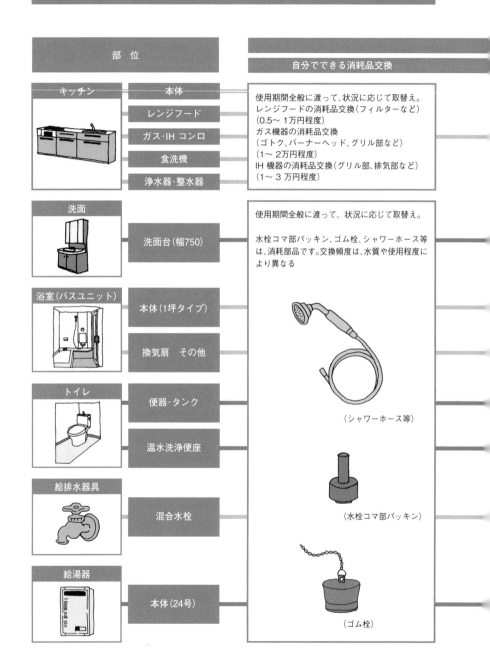

キッチン
- 本体
- レンジフード
- ガス・IHコンロ
- 食洗機
- 浄水器・整水器

使用期間全般に渡って、状況に応じて取替え。
レンジフードの消耗品交換（フィルターなど）
（0.5～1万円程度）
ガス機器の消耗品交換
（ゴトク、バーナーヘッド、グリル部など）
（1～2万円程度）
IH機器の消耗品交換（グリル部、排気部など）
（1～3万円程度）

洗面
- 洗面台（幅750）

使用期間全般に渡って、状況に応じて取替え。

水栓コマ部パッキン、ゴム栓、シャワーホース等
は、消耗部品です。交換頻度は、水質や使用程度に
より異なる

浴室（バスユニット）
- 本体（1坪タイプ）
- 換気扇　その他

トイレ
- 便器・タンク
- 温水洗浄便座

給排水器具
- 混合水栓

給湯器
- 本体（24号）

（シャワーホース等）

（水栓コマ部パッキン）

（ゴム栓）

5 年	10 年	15〜20 年

本体・各機器の部品
点検・交換
（費用:1〜5万円）

レンジフード、
ガス、IH コンロな
ど機器本体の点検・
交換
（費用:20〜130万円）

本体・各機器の
部品点検・交換
（費用:1〜5万円）

キッチン
本体交換
（費用:120〜330万円）

20〜30年後

本体器具
点検・交換
（費用:1〜5万円）

器具の部品
点検・交換
（費用:1〜5万円）

洗面本体交換
（費用:20〜45万円）

20〜30年後

シーリング材・ドア
点検・補修
（費用:5〜10万円）

シーリング材・ドア
点検・補修
（費用:5〜10万円）

シーリング材・ドア
点検・補修
（費用:5〜10万円）

ユニット本体
点検・交換
（費用:120〜220万円）

換気扇点検・
部品交換
（費用:1〜3万円）

換気扇点検・
部品交換
（費用:5〜10万円）

換気扇点検・
部品交換
（費用:1〜3万円）

20〜30年後

便器・タンク
点検・部品交換
（費用:1〜3万円）

便器・タンク
点検・部品交換
（費用:1〜3万円）

便器・タンク
点検・部品交換
（費用:1〜3万円）

便器
交換
（費用:20〜35万円）

30年

温水洗浄便座部品
点検・交換
（費用:1〜5万円）

温水洗浄便座
交換
（費用:10〜15万円）

温水洗浄便座部品
点検・交換
（費用:1〜5万円）

温水洗浄
便座交換
（費用:10〜15万円）

機能部
点検・部品交換
（費用:1〜3万円）

本体
点検・交換
（費用:5〜10万円）

機能部
点検・部品交換
（費用:1〜3万円）

本体
点検・交換
（費用:5〜10万円）

20年

点検・部品交換
（費用:1〜4万円）

本体
点検・交換
（費用:35〜45万円）

点検・部品交換
（費用:1〜4万円）

本体
点検・交換
（費用:35〜45万円）

以後10年毎

総費用を下げる方法は？

①廉価な材料を使う
⇒壁紙には、量産クロス、多機能クロス、高級クロスなどがあり、こだわりがなければ、普及グレード（量産クロス）を選ぶことでコストを抑えることができます。建材によっては、耐久性が落ちたり、メンテナンス費用が増える場合もあるので注意が必要です。

②設備仕様を普及グレードにする
⇒設備メーカーには普及グレードと呼ばれる廉価なものがあります。選択肢は限られますが、ほかのグレードに比べて2割ほど安く手に入ります。ただし、設備によっては、ランニングコストが増える場合もあるので注意が必要です。

③据付家具を少なくする
⇒据付家具は収納量があり、空間をすっきりと見せる効果がありますが、多用するとコストが高くなります。玄関やリビングなどは据付家具に、個室は置き家具にするなどメリハリをつけることも有効です。

④シンプルな形状にする
⇒建物の外壁に凹凸があると、外装面積や軒、庇が増えるので、施工費やメンテナンス費が高くなる要因になります。トータルバランスを考えての検討が必要です。

⑤壁や扉を少なくする
⇒壁や扉を少なくすることで、コストを下げることができますが、プライバシーの確保や冷暖房を部屋ごとに行うのが難しくなります。プランニングや断熱性能と一緒に考えましょう。

⑥DIYで工事を減らす
⇒ウッドデッキや外構工事、個室の塗壁など、DIYでできる工事もあります。工期への影響もありますので、住宅会社に相談してみましょう。

⑦小さく作る
⇒総費用を下げるのに一番効果的な方法が「小さくつくること」。「使用頻度の低い部屋や空間はないか」「使わないものを持っていないか」など住まい方を考え直すことも大事です。小さい家はメンテナンス費や光熱費も少なくなります。

第 3 章

建築費以外にもかかるコストがある

家づくりの諸費用には何があるの?

家づくりに必要はお金は、家を建てるための建築費と土地代。実はそれだけではありません。ローンを借りるにも、契約するにも、いろいろとコストがかかるのです。ここでは、家づくりのときに用意しておかなくてはならない諸費用について、その内容と、かかる金額の目安を紹介していきます。

注文住宅建築にかかわる諸費用には何があるの？

土地測量費や地盤調査費、設計料建築確認申請費用などがかかります

　自分が取得した（または借りる）土地に、注文住宅を建てる場合、建売住宅やマンション購入ではかからないコストがあります。まず、土地の境界線があいまいな場合などに「土地の測量」が必要な場合があります。また、土地を購入したあとは、地盤沈下や不同沈下などのトラブルを避けるためにも「地盤調査」が必要で、設計事務所や住宅会社が手配します。他に、建築家に設計を依頼する場合、別途支払うことになるのが「設計料」。金額の目安は設計事務所や住宅会社によって違いますが、建築費の5〜15%程度が多いようです。工事費用に含まれる場合もあります。

　また、これから建てる建物が、建築にかかわる法令に合致しているかどうかを申請し確認してもらう「建築確認申請」にも、図面作成や事務手続きに対する手数料がかかります。

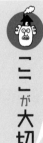
ここが大切！

購入・所有している土地の境界標がズレていて、どこからどこまでが自分の土地かはっきりしない場合は、土地家屋調査士に相談するのが安心。費用は地域や面積などで異なるが、数十万程度が目安だ。

建築家への設計監理料の中には、プラン作成料の他、施工会社の見積査定、コスト管理、現場監理などの費用が含まれている。これらは、住宅会社に直接依頼する場合も工事費や諸経費に含まれている。

建築確認を行うのは自治体や自治体から指定を受けている民間の検査機関（指定確認検査機関）。着工前の書類確認、完成後の現地での確認の他、地域によっては中間検査がある場合も。

一般的な一戸建て用の宅地で「地盤調査」にかかるコスト

スクリューウエイト貫入試験の場合

地盤調査の方法はいくつかあるが、一戸建て住宅を建てる場合は
スクリューウエイト貫入試験（旧スウェーデン式サウンディング
試験）での調査が一般的。地盤調査を無料で行う住宅会社も多いが、
その場合は調査費用が建築費に上乗せされていると考えておこう。

コストの目安	5万円〜／箇所

「地盤改良工事」が必要な場合のコスト

表層改良	柱状改良	鋼管杭改良
セメントを使用して地表の比較的浅い部分を固める工事。地盤の軟弱な部分が地表から2mまでの浅い場合に用いられる。	土とセメント系固化材を混合し、柱状の杭を土中に配して建物を支える工事。地盤の軟弱な部分が地表から10m以内の場合に用いられる。	地中へ小口径の鋼管を複数打ち込み、建物を支える工事。地盤の軟弱な部分が地表から10mを超える場合などに用いられる。
コストの目安	コストの目安	コストの目安
30〜60万円	**40〜80万円**	**60〜150万円**

※上は地盤改良の代表的な工事方法。地盤の状態と建物の重量などでどれが適しているかが異なる

83

間取りや仕様などのプランを決める「設計」にかかるコスト

依頼先によって違う設計料の考え方

建築家や設計事務所に頼む場合

設計監理料という形で請求されるのが一般的。この中にはプラン作成、施工会社の見積査定、工事が設計通りに進んでいるかどうかのチェックなどが含まれる。金額は依頼先によって違う。建築費が高くなるほど割合は下がる傾向にある。

コストの目安	建築費の**10〜15**%程度

住宅会社に頼む場合

設計と施工を一貫して行う住宅会社では、設計料金の設定は会社によって違う。「設計料」という項目を立てずに建築費や諸経費に上乗せして含まれているところもある。プラン作成料として数万円を設定しているところもあり、さまざまだ。もちろん無料では設計してもらえないので注意が必要。

コストの目安	建築費や諸経費などに 含まれることが多い

相見積もりの場合の設計料

KEYWORD

複数の建築家や設計事務所、住宅会社などにラフプランを依頼する相見積もりの場合は、プラン作成料が発生する会社もある。請求されてからあわてないよう、事前に費用の有無を確認しよう。

「建築確認申請」にかかるコスト

住宅会社に申請をまかせる場合

申請自体のコスト（手数料）は9万円程度だが、必要書類の作成や審査機関とのやりとりに費用がかかる

建築確認申請、中間検査、完了検査手数料　各 **3** 万円程度※

※地域や規模によって手数料は違う

図面作成や諸経費など **40** 万円程度

コストの目安	合計で **50** 万円程度

他にも、「住宅性能評価書」の取得や、「長期優良住宅」「LCCM住宅」の申請などを行う場合は、それぞれに費用がかかります。早めに住宅会社に相談しておきましょう。

「省エネ基準への適合義務化」及び「建築確認・検査や審査省略制度の対象範囲の見直し」に係る建築基準法の改正が2025（令和7）年4月に施行が予定されています。これにより、建築確認・検査対象の見直しや審査省略制度（いわゆる「4号特例」）の縮小が措置され、建築確認の申請手続きが変更され、申請費用も見直されることになります。

地域や床面積で違う建築確認の手数料

KEYWORD

47都道府県が定める確認申請手数料は床面積100㎡超200㎡以内なら1万9000円〜6万5000円と、自治体によって異なる。民間の検査機関は自治体より高めになるのが一般的だ。

21 土地の購入にかかわる諸費用には何があるの？

**不動産会社に支払う仲介手数料の他に
印紙代や登記費用がかかります**

　土地を購入して家を建てる場合は、土地の代金の他に、土地購入にかかわる諸費用のことを忘れずにおきましょう。

　諸費用のなかで大きな割合を占めるのは不動産会社に支払う仲介手数料です。これは、「土地の代金×3％＋6万円」が上限。さらに、仲介手数料には消費税がかかります。

　その他、土地の所有権移転にかかる登録免許税と手続きを代行してもらう司法書士への報酬も必要です。

　また、ローンを借りて土地を購入する場合、まだ建物のない土地に対しては住宅ローンは使えないケースもあります。その場合、金利が高めのローンを利用して土地を購入しておき、土地と建物分をまかなう住宅ローンを借りるまでの間、返済を続けるという方法が多くとられます。このケースだとローンを2度借りることになり、事務手数料などもその都度かかることになります。

ここが大切！

土地の価格には消費税はかからないが、仲介手数料にはかかるので注意。例えば、2000万円の土地を購入した場合、仲介手数料は上限で66万円。消費税を入れると72万6000円になる。

定期借地権で土地を借りる場合、毎月数万円程度の地代がかかる。また、定期借地権設定時には数百万円の保証金がかかる（保証金の金額は土地価格によって違い、契約期間終了後に返還される）。

金融機関によっては土地・建物分をまとめて借りられる住宅ローンがある。フラット35も住宅建設と併せて購入した土地は融資対象。その場合、手数料などの諸費用がローン1本分で済む。

土地の代金以外にかかる主な諸費用

主な諸費用

仲介手数料	不動産仲介会社に支払う。土地の代金×3%＋6万円が上限
印紙代	土地の売買契約書に貼る印紙代。売買金額が1000万円超5000万円以下なら1万円。5000万円超1億円以下は3万円※
登記費用	土地の所有権移転登記にかかる費用。司法書士によって費用が違ってくる

※ 2024年3月31日までの軽減措置

コストの目安	土地の代金の **3～4**％程度

土地にかかわる支払いの流れ（例）

購入申し込み	申込金（最低10万円）

売買契約	手付金（土地代金の10%程度）・仲介手数料（50%）

決済・引き渡し・登記	手付金を除いた残金（融資）・登記費用 仲介手数料（残り50%）

KEYWORD

建築条件付き土地

指定された住宅会社と、一定期間内に建築請負契約を結ぶことが条件の土地。土地と建物のローンをいっしょに借りることができるケースが多く、別々に借りる場合よりも事務手数料などがかからない。

住宅ローンにかかわる
諸費用には何があるの?

申込先やローンの種類によって
事務手数料や保証料の金額は違ってきます

住宅ローンを借りるのにも実は諸費用がかかります。主なものは保証料と事務手数料。火災保険への加入が条件になることも一般的です。その他、ローン契約書に貼る印紙代もかかります。

いくらかかるかは、住宅ローンをどこから借りるか、いくら借りるかなどによって違ってきます。例えば、事務手数料は金融機関によって金額や仕組みが異なります。保証料は民間の住宅ローンの場合は必要なケースがほとんどですが、フラット35や多くのネット銀行では不要です（ネット銀行では事務手数料が高く設定されているケースも）。また、団体信用生命保険料（団信）は、民間の住宅ローンではほとんどが加入必須で特約料は金利に含まれます。フラット35の場合は、団信に加入しない選択ができ、その場合、金利は低めになりますが、万が一を考えると生命保険に加入しておくなどの備えは必要です。

ここが大切！

ローンの返済ができなくなったとき、代わりに一括で弁済するのが保証会社。その保証会社に支払うのが「保証料」だ。弁済後、ローンを借りた人は、金融機関ではなく保証会社に返済することになる。

「事務手数料」は定額の場合は3〜5万円程度。借入額の0.5〜2%程度の場合は、3000万円の借り入れなら15〜60万円程度になる。金利が低くても手数料が高く総支払額は変わらないことも。

ローンを申し込んだ人が死亡したり高度障害状態になった場合など、ローンの残債が補償される「団体信用生命保険（団信）」。特約料は金利に含まれている。フラット35は加入しない選択もできる。

「事務手数料」は支払い方によってコストが変わる

事務手数料は金融機関やローン商品によって幅がある

事務手数料無料	一律に金額を設定	融資額の0.5〜2%程度を設定
住宅金融支援機構による財形住宅融資は事務手数料が無料	3〜5万円程度まで金融機関やローン商品によって幅がある	一部の金融機関で導入。金額一律のパターンと選択できるようになっている場合も

事務手数料は3〜5万円（税別）に設定している銀行が多いようです。もっと高い場合でも10万円程度までが一般的。これに対して、他の住宅ローンよりも低金利の場合、「融資額×○％」という設定をしているところも。割合は2％程度のことが多いのですが、3000万円を借りれば事務手数料は60万円。保証料が不要でも、事務手数料でコストが割高にならないかをチェックしましょう。

コストの目安	**3〜5万円**※

※一律に金額を設定している場合

KEYWORD

期間限定の事務手数料無料や保証料

事務手数料が期限付きで無料になることもある。また、普段は保証料が必要な金融機関でも、期間限定で保証料無料などのキャンペーンを行うことも。ただし、「頭金20％以上」などの融資条件がある場合が多い。

「保証料」は支払い方によってコストが変わる

保証料の設定は大きく分けて３パターンある

保証料不要	一括前払い	金利に上乗せ
フラット35、ネット銀行など一部の金融機関	一括前払いでの支払いが多いが、金利上乗せを選べる場合も。保証料分も含めて住宅ローンとして借りられるケースもある	

> このケースでは金利に上乗せするより、一括前払いのほうが保証料は少ない！

コストの目安※

3000万円を借りた場合の例

一括前払い：保証料は約**61万8330**円

金利に0.2％上乗せの場合：保証料は約**112万6020**円

※金利0.5％、35年返済、元利均等返済、毎月返済のみとしてみずほ銀行のwebサイトで試算

ネット銀行は保証料無料が多いけれど、事務手数料は５万円〜融資金額の2.1％程度と高めです。保証料も事務手数料もどちらもチェックしましょう。

KEYWORD

保証料と返済期間

保証料は返済期間が短いほうが少なくなる。例えば、上の「コストの目安」での保証料は借入額3000万円で35年返済なら一括前払いで約62万円。30年返済なら約58万円、25年返済なら約52万円だ。

万が一のとき、住宅ローンをカバーする「団体信用生命保険」

団体信用生命保険の仕組み

団体信用生命保険は、金融機関によって保障内容や条件が異なる。一般的な「がん・脳血管疾患・心疾患」の三大疾病保障特約以外にどのような保障があるか、高度障害とはどのような状態なのかなどを確認しよう

債務者(ローンを借りた人)

銀行

死亡または高度障害で
返済できなくなった場合

特約料
(金利に含まれるのが一般的)

債務者に代わって
残りのローンを払う

保険会社

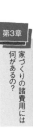

「火災保険」加入が融資条件になる住宅ローンが多い

保険料は保険会社や保険料、地域によって異なる

火災保険	地震保険
保険会社や選択するプランによって異なるが、火災のほか、落雷、風・雹・雪災、水災などの自然災害、衝突、盗難などを補償する保険。最長契約期間はこれまで10年だったが2022年10月1日以降は5年となっている	火災保険ではカバーできない地震や噴火、これらを原因とする津波や火災などを補償する保険。火災保険に加入したうえで、セットにするもの。基本的には火災保険補償額の半額が限度額になる

【保険料の例】東京都内の120㎡の新築木造住宅(準耐火構造)。建築費3000万円、家財500万円と仮定。地震保険を含む5年間の保険料一括払いの保険料は

約 **31** 万円※

※保険会社、建物の構造や規模、補償内容、地域によって金額は大きく異なる

Question 23 家づくりにかかわる税金には何があるの?

登記には登録免許税が契約関係には印紙税がかかります

　土地を購入したり家を建てたりしたときには、土地や建物の所有権を明らかにしておくために所有権の移転登記(売買)や保存登記(新築)をします。そのときにかかるのが登録免許税です。また、住宅ローンを利用すると抵当権(担保権)の設定登記も行いますから、これにも登録免許税がかかります。一定の要件を満たす建物については、所有権保存登記、購入による移転登記、抵当権設定登記に軽減措置があります。分からないことがあれば、最寄りの法務局や地方法務局に問い合わせるといいでしょう。

　また、住宅会社と結ぶ建築請負契約や、銀行と結ぶローン契約(金銭消費貸借契約)には、契約書に印紙を貼って捺印することで納税する印紙税がかかります。

　他にも、住宅を取得した後にかかわってくる税金や、節税できる税金もあります。193頁からの「第6章　家が完成したあとに払うお金・もらえるお金」も読んでおきましょう。

ここが大切!

非課税なのは「建物の表示登記」。これは建物の所在地番、構造、床面積などを特定するもの。資料は土地家屋調査士が作成する。金融機関や住宅会社で手配してくれる場合がほとんど。

住宅ローンを利用すると住宅や土地が担保になり、返済がされなくなった場合にその担保から弁済を受ける権利(抵当権)が発生する。その権利を明らかにするのが「抵当権設定登記」だ。

登録免許税は金融機関等からの領収証書を法務局に提出する現金納付が原則だが、税額3万円以下なら印紙を所定の用紙に貼り付けて納付できる。土地家屋調査士や司法書士が代行するのが一般的。

家づくりにかかわる登記の種類と印紙税の目安

登録免許税の課税標準と税率（原則）

登記の種類	課税標準	税率
建物の表示登記	―（非課税）	―（非課税）
所有権の保存登記	固定資産税評価額	0.4%[1]
購入などによる移転登記	固定資産税評価額	<建物>2%[1] <土地>2%[1]
抵当権の設定登記	債権金額	0.4%[1]

※1 適用条件を満たした場合、税率の軽減措置がある

印紙税の税額

契約書の記載金額	ローン契約に対する税額	建築請負契約に対する税額
500万円超1000万円以下	1万円	5000円[2]
1000万円超5000万円以下	2万円	1万円[2]
5000万円超1億円以下	6万円	3万円[2]

※2 2027年3月31日までの軽減措置が適用された税額

マイホームの税金

KEYWORD

税金の軽減措置や控除の制度などは、ずっと同じではない。税制改正や政府の政策などによって内容や期限が変更・延長されたり、新たな制度が創設されたりする。最新の情報を確認するようにしよう。

Question 24 他にも予算を組んでおいたほうがいいコストは?

大きな出費は引っ越し費用。
他にも上棟式や地鎮祭をするなら現金の用意を

　家づくりには何かとお金がかかります。これまでに紹介した設計料などの建築にかかる費用、住宅ローンを借りるときにかかる費用、そして税金の他にも、いろいろなお金が必要となります。

　ただし、いくらかかるかは個別のケースになる項目が多く、例えば、地鎮祭や上棟式は省略すれば支出はゼロ。近隣あいさつの際の手土産代も、一斉に分譲される土地に建てる場合は不要かもしれません。引っ越し費用は移動距離や荷物の量などによって料金は大きく変動します。水道加入金が必要な場合は、自治体によって金額が異なります。

　家の新築をきっかけに家具や家電を新調する人も多いでしょう。窓の数や大きさによっては、カーテン代もかさみます。また、家を建てた立地によっては、クルマを買い増ししなければならない世帯も。家を建てることでどんなお金がかかるのかを考えて、予算を確保しておくのがおすすめです。

ここが大切!

わが家の家づくりでかかりそうなその他のコストをチェック!

☐ 近隣あいさつ費用	☐ 仮住まい費用	☐ (　　　　　)
☐ 地鎮祭費用	☐ トランクルーム代	☐ (　　　　　)
☐ 上棟式費用	☐ 家具・家電購入費用	☐ (　　　　　)
☐ 引っ越し費用	☐ カーテン代	☐ (　　　　　)
☐ 水道加入金	☐ ガーデニング関係費用	☐ (　　　　　)

地鎮祭費用

最近は省略するケースも多い。また、地域によってコストが違ってくる。お供えものの手配を神社が行うのか、施主が行うのかは地域や神社によって違う。住宅会社が詳しいので、確認しておこう

コストの目安	神主さんへのお礼 3~4万円＋供物代など

上棟式費用

棟上げの後、棟梁が棟木に幣束を立て、破魔矢を飾り、建物の四方に酒・塩・米をまいて清めるのが上棟式。儀式の後に職人さんの労をねぎらう宴席（直会）を催す。最近はクルマで現場に通う職人さんが多いことなどから、お酒は出さず、折り詰めとご祝儀を渡すだけのケースも多い

コストの目安	10~30万円

引っ越し費用

引っ越し費用は移動距離や荷物の量によって違ってくる。また、建て替えで仮住まいをする場合は、引っ越しが2度あるためコストは倍になる。複数の引っ越し会社に見積もりをとることで相場も見えてくるので、数社に問い合わせてみよう。一般的には土日祝日よりも平日が、出発・到着が午前中よりも午後からのほうが安くなる

コストの目安	＜4人家族の場合＞ 近距離（50km程度）で 10万円前後 長距離（50km超）で 20~40万円程度

水道加入金

家を建てる土地に上下水道本管から水道管を引き込む必要がある場合、水道加入金（給水分担金）を納付する。金額は水道メーターの口径が大きいほど高くなる。一般的な口径13mmの場合、10万円前後のケースが多いが、金額は自治体によって異なるので事前に確認しておきたい。なお、水道管の引き込み工事費も別途かかる

コストの目安	口径13mmの場合で 10万円前後~ （自治体によって異なる）

column

入居前後にかかるお金のことも
考えておこう

　家の取得には、家の代金以外にさまざまなお金がかかります。第3章で紹介した諸費用の他にも、自治体等の補助金制度を利用すると必要書類を用意する手数料が必要。また、水道管を引き込む費用がかかる場合もありますし、水道加入金は自治体によって金額が異なります。家具・家電も新築の家に合わせてコーディネートするなら、大きな出費になるでしょう。注文住宅の諸費用はケースバイケースです。

　そして、忘れてはいけないのが入居後にかかるお金のこと。忘れがちなのは光熱費の増額。最近は給湯や冷暖房機器も省エネ化が進んでいますが、家の規模が大きくなれば光熱費がかさむ可能性もあります※。毎年かかる固定資産税は、軽減措置の期間が終わると税負担がアップします。一戸建ては外壁や屋根などのメンテナンスも自分で計画的に行わなければなりません。入居後の家のコストが家計を圧迫しないよう、住宅ローンは余裕をもたせて借りるようにしましょう。

入居後にかかるお金

● 家具・家電の購入費	● 火災保険料・地震保険料・家財保険料
● 固定資産税・都市計画税	● 町内会費
● 光熱費の増額分	● 外壁や屋根のメンテナンス費用
● リフォーム費用	● 庭や外構のメンテナンス費用
● 設備機器のメンテナンス・交換費用	

※住宅の断熱性能によっても変化する

住宅ローンを借りる前に知っておきたい

住宅ローンの
基礎知識

住宅ローンは、商品の種類も借り方・返し方もいろいろです。
たくさんの金額を借りて、長期にわたって返済が続くため、ど
の住宅ローンを選ぶか、借り方・返し方はどうするかによって、
返済額などが違ってきます。自分に合った資金計画を立てるた
めにも、住宅ローンについての基本を知っておきましょう。

Question 25
住宅ローンを借りたいとき どこに相談に行けばいいの？

**銀行などの金融機関だけでなく
ファイナンシャル・プランナーに相談もおすすめ**

　「どんな住宅ローンがあるのか知りたいだけ」という段階なら、まずは各銀行のホームページで住宅ローン商品について調べてみるのがおすすめ。最近は、店頭に足を運ばなくても疑問が解決できるよう、ホームページ内にＱ＆Ａコーナーを設けたり、資金計画に関するコラムを掲載していたり、各金融機関がさまざまな工夫をしています。土日に開催される住宅ローン相談会もありますし、融資担当者から直接話を聞きたいという場合は、融資窓口を訪ねるのももちろんいいでしょう。

　また、教育費や老後のための資金づくりなど、今後のライフプランも考慮した資金計画なら、有料になりますがファイナンシャル・プランナーに相談するのもおすすめ。どんな住宅ローンが合うのか、返済計画はどうするのがいいかなど、客観的なアドバイスをもらうことが大切です。

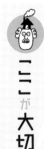

ここが大切

今まで取り引きをしたことのない銀行からでも、住宅ローンを借りることはできる。ただし、銀行によっては「関東のみ」「関西のみ」など営業エリアが限られていることがあるので注意しよう。

住宅会社のモデルハウスでは、営業担当者が借りられる金額の算出など簡単な資金計画を試算してくれることがある。ただし、借りられる金額＝無理なく返せる金額ではないので要注意。

ネット銀行の住宅ローンは忙しくてなかなか銀行へ行けない人に便利。低金利で借りられる点もメリットだ。メールや電話での相談の他、窓口が開設されているネット銀行なら対面での相談も可能。

住宅ローンの相談はここへ行く

[住宅会社]

年収や返済期間をもとに、借入限度額や返済額などの簡単な試算をしてくれる会社も多い

[銀行]

給与振込口座のある銀行や、借りたいローンを扱っている金融機関の融資窓口へ

[ファイナンシャル・プランナー]

金融機関に属していないファイナンシャル・プランナーに、今後の収支を含めた資金計画を相談

KEYWORD

住宅ローン個別相談会

銀行の窓口営業時間中に、相談に行く時間がとれない人も多い。土日や夕方以降などにも「住宅ローン個別相談会」を開いている銀行もあるので活用してみよう。なお、予約が必要なケースが多いので確認を。

住宅ローンの借入先には どんなところがあるの？

銀行の他、公的なローンもあり、
借入先によって特徴が違います

　借入先によっていろいろな住宅ローン商品があります。同じ銀行のローンでも金利が違ったり、その銀行独自の特典があったり。また、事務手数料などの諸費用も違ってきます。だから、「住宅ローンはどこで借りても同じでしょ？」なんて思わず、複数の金融機関や住宅ローン商品を調べてみましょう。

　まず、借入先ですが、民間のローンは銀行だけではなく、農協（JA）や住宅ローン専門会社などいろいろ。公的なローンとしては財形貯蓄をしている人が利用できる財形住宅融資もあります。

　そして、同じ銀行から借りても金利には変動金利型、固定期間選択型、全期間固定金利型などタイプの違いがあって、それぞれ金利や、借りた後の金利の動き方が違ってきます。他にも、元利均等返済と元金均等返済という返済方法の違いもあります。いずれも、この第4章で解説していくので読んでくださいね。

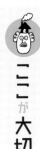

ここが大切

財形住宅融資などの公的なローンや、フラット35のように銀行で借りるが公的機関がバックアップしている住宅ローンも。他に、住宅専門のローン会社や保険会社などさまざまな借入先がある。

同じ銀行で借りても金利のタイプや返済方法によって、返済額や将来の金利の動きが違ってくる。どの金利タイプを選ぶかは自分で決めることになるので、それぞれの特徴を把握しておきたい。

借りる際の保証料や事務手数料の他、繰り上げ返済がいくらからできるか、手数料はいくらかかるのかなど、借入時・返済中のコストも住宅ローンや金融機関によっていろいろだ。

公的なローン	財形住宅融資（114頁） 公務員共済
公的な機関がバックアップする 民間のローン	フラット35（108頁） フラット35S（110頁） フラット50（144頁）
民間のローン	銀行・信用金庫 ネット銀行（104頁） 農協（JA） 住宅ローン専門会社 生命保険会社

第4章
住宅ローンの
基礎知識

いろいろ
あるのね…

住宅金融支援機構

KEYWORD

旧住宅金融公庫の業務を継承して、2007年4月に発足した独立行政法人のこと。フラット35のバックアップの他、災害復興などの政策上重要で民間金融機関では対応が難しい業務を行う。

101

Question 27 店舗型の銀行や信金には どんな特徴があるの？

融資窓口でマンツーマンで相談が可能
銀行によって審査や対応はさまざま

　最近は店舗をもたないネット銀行が身近になっていますが、給与振込や光熱費の引き落とし、貯金などで日常的に利用しているのは店舗型の金融機関、という人がまだ多いでしょう。では、店舗型の銀行にはどのような特徴があるのでしょうか。最大のメリットは、当たり前ですが店舗がある、ということ。融資窓口や住宅ローン相談会などで、マンツーマンで借り入れの相談ができます。住宅ローンを借りたいという人の状況を細かく考慮したうえで、融資の審査をしたり、融資額を設定したりするため、書類審査のみで融資審査を行うネット銀行よりも柔軟な資金計画の相談ができるでしょう。住宅ローンの返済がスタートしてからも、繰り上げ返済や借り換えの相談がしやすいといえます。ただし、銀行や支店、窓口の担当者によっても、融資についての説明や資金計画の相談への対応は一律ではありません。銀行選びでは、自分がつきあいやすい銀行かどうかもポイントになります。

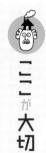

ここが大切

店舗型銀行もさまざま。規模の大きなメガバンク（三菱UFJ、みずほ、三井住友）でも個人の住宅ローンを扱っている。WEBサイトの住宅ローンシミュレーションも充実していて参考になる。

本店がある都道府県を中心に営業をしている地方銀行。取り引き対象のメインが地元企業や個人のため、個人の住宅ローンの相談に、柔軟に対応してくれることが多く気軽に足を運びやすい。

地方銀行よりもさらに狭いエリアの地元密着型営業をしているのが信用金庫や信用組合。零細企業の経営者や商店主、個人事業主の状況を細かく考慮して融資の検討をしてくれるケースが多い。

- 住宅ローンの借り入れの際には、じっくり銀行と相談したい
- 銀行の窓口まで足を運ぶのが苦にならない
- 住宅会社や勤務先が提携している銀行がある
- 返済額や繰り上げ返済の試算などを自分でするのが面倒
- ネット銀行には抵抗がある

第4章

住宅ローンの基礎知識

店舗型銀行のオンライン化

KEYWORD

最近では、店舗型の銀行でも住宅ローン手続きのオンライン化が進み、ネットのみで審査から契約まで完結できるケースが増えている。大手銀行ではネット契約の場合通常よりも低金利のことも。

103

Question 28
ネット銀行には
どんな特徴があるの？

コストが小さいから低金利
24時間いつでも申し込みが可能です

　ネット銀行（ネットバンク）には店舗を持たないインターネット専業タイプや、インターネットをメインとしながらいくつかの店舗や窓口を開設しているタイプがあります。どちらのタイプも店舗数を抑えている分、コストを圧縮でき、一般の金融機関よりも住宅ローン金利が低金利な傾向にあります。保証料や繰り上げ返済手数料が無料の場合が多く、低金利以外のメリットもあります。しかし、借地権の物件には使えないなどの制限がある場合や、事務手数料が高額なケースも。審査が厳しく、時期によっては時間がかかり申し込みから融資実行まで数カ月かかった例もあるなどデメリットもあります。また、融資の実行が完成時一括のみの場合も多いので、融資条件の確認が必須です。銀行のスタッフと顔を合わせることなく手続きが進むので、担当者と直接話しながらきめ細かなサポートを受けたい、という人には向いていないかもしれません。

ここが大切

ネット銀行は店舗を少なくしてコストを圧縮している分、住宅ローンは一般の銀行よりも低い金利で提供されている。一般の銀行と同様、条件をクリアすると引き下げ金利が適用される場合も。

繰り上げ返済手数料が無料で、ネットで簡単に手続きができるので積極的に繰り上げ返済をする予定の人にはメリット大。ただし、借入時に事務手数料が高額な場合もあるので、トータルコストに注意。

ネット銀行の住宅ローンは、メリットもデメリットも把握したうえで上手に活用すれば便利だ。自分でいろいろ調べることや比較検討することが苦にならないタイプの人に向いていそう。

- 平日の日中は忙しくて銀行に行く余裕がない
- こまめに繰り上げ返済をする予定
- 住宅会社や不動産会社などに任せず、自分で手続きするのが苦にならない
- 金利の動きや借り換えなどの情報に敏感
- 返済額の試算などを自分ですることができる

忙しくて
銀行へ行けなくてもOK!

書類のチェックは
自分でしなくちゃ

第4章
住宅ローンの
基礎知識

KEYWORD

つなぎ融資対応のネット銀行

住宅ローン実行前に着工金や中間金などの支払いにあてるため、つなぎ融資を利用するケースがある。ネット銀行でも楽天銀行やイオン銀行はつなぎ融資を提供しているほか、ソニー銀行では融資の紹介を行なっている。

Question 29 住宅ローンを借りる銀行って どう選べばいい？

返済スタート後のことも考えて 複数の銀行を比較することが大切です

　住宅ローンをどこから借りるかを決める際には、複数の銀行を比較することがポイントです。とにかく低金利で借りたい、というならネット銀行や勤務先が提携していて優遇が受けられる銀行をチェック。自営業の人は普段からつきあいのある銀行に相談してみるのもいいでしょう。ただし、必ず複数の銀行の融資条件を比較することが大切。銀行によって、各種手数料や繰り上げ返済のしやすさ、住宅ローンを利用すると受けられるサービスの内容などが違ってきます。返済途中で、もっと有利な銀行を見つけたら借り換えればいいと思っても、借り入れたときよりも年収が減っていたり、病気をしていたりすると、思うような借り換えができなくなる場合もありますし、借り換えができたとしても、手間や手数料がかかります。忙しい家づくりの時期に複数の銀行を比較検討するのは大変ですが、住宅ローンの返済は長期間続きますから、手間を惜しまずにがんばりましょう。

ここが大切

金利や利用できる金利タイプが異なると毎月返済額と総返済額が違ってくる。事務手数料、繰り上げ返済手数料、保証料の有無などは借入時の諸費用に影響する。右頁の表を使って比較検討しよう。

民間の住宅ローンの場合、融資可能額は各銀行が独自に定める審査基準によって異なる。A銀行で希望額が借りられなくても、B銀行では借りられることも。仮審査も複数の銀行で受けてみよう。

提携企業やグループ企業での買い物の割り引き、出産前後に一定期間金利優遇を受けられるなど、さまざまな特典がある住宅ローンも。自分にとっておトクなものがあれば、検討してみるのもいい。

ホームページなどで調べて書きこもう

銀行名			
住宅ローン商品名			
金利タイプ			
店頭表示金利			
引き下げ後の金利			
事務手数料			
保証料			
繰り上げ返済の条件			
繰り上げ返済手数料			
団信の補償範囲			
返済途中の条件変更			
各種特典			
その他			

※住宅ローンの融資条件等、詳細は各銀行のホームページに掲載されていることが多い。また、融資条件等が記載された商品概要説明書がダウンロードできる銀行もある

第4章
住宅ローンの
基礎知識

KEYWORD

健康に不安がある人の銀行選び

民間の住宅ローンは団体信用生命保険（91頁）に加入することが融資の条件。健康に不安がある人は、糖尿病などの持病があっても加入できる場合がある「ワイド団信」が利用できる銀行かをチェックしよう。

Question 30

【フラット35】って何？
どこで借りても同じ？

全期間固定金利型が特徴のローン。
借入先で手数料や金利が違います

　フラット35は全期間固定金利型の住宅ローン。住宅金融支援機構が債権を買い取ったり（買取型）、保証したり（保証型）することで民間の金融機関をバックアップし、各金融機関から提供されているものです。保証料や繰り上げ返済手数料が無料などのメリットがあります。また、持病があるなどの理由で団体信用生命保険に入れない場合、フラット35では団信に加入せずに融資を受ける選択肢もあります。ただし、持病があっても入れる保険に別途加入しておくなど万が一に備える対策も必要でしょう。

　フラット35は多くの金融機関で取り扱っていますが、どこで借りても条件が同じというわけではありません。窓口になる金融機関によって金利や事務手数料が違っています。毎月の返済額や総支払額に関わってくることなので、いくつかの金融機関を比較したうえで窓口を決めるといいでしょう。

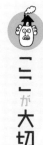

ここが大切

フラット35から借りるために必要な条件や、借りられる金額の上限は、どの金融機関でも同じ。そのため、A銀行では融資を断られたけれど、B銀行ではOKだった、ということは原則ない。

購入・新築する物件が一定の基準を満たしていることも融資条件の一つだ。基準をクリアしていることを示す「適合証明書」が必要になり、証明書交付のための物件審査料がかかる。

フラット35の「買取型」はどの金融機関でも融資が受けられるかどうかの条件は同じ。しかし、「保証型」は金融機関によって異なるので注意。なお、現在、保証型を扱う金融機関はわずかだ。

借りる人の条件	● 申し込み時の年齢が満70歳未満 ● 年収に占める総返済負担額の割合が、年収400万円未満の人は30%以下、年収400万円以上の人は35%以下であること
住宅の条件	● 住宅金融支援機構の定める技術基準にあてはまる住宅であること ● 新築住宅は省エネ基準に適合していること ● 床面積や建築基準等に一定の要件がある ● 住宅の建設と併せて購入した土地も対象
融資額	● 100万円以上8000万円以内で、住宅購入費・建設費以内（土地取得費に対する借り入れを希望する場合は、その費用を含む）
返済期間	● (1)15年（満60歳以上なら10年）以上35年以内（1年単位） 　(2)完済時年齢が80歳になるまでの期間 　　(1)または(2)のいずれか短いほう
金利タイプ	● 全期間固定金利（金利は金融機関によって、また、借入期間が20年以下か21年以上か、融資率9割以下か9割超かで異なる） ● 融資実行時の金利が適用
返済方法	● 元利均等返済、元金均等返済から選択 ● 毎月払い、6カ月ごとのボーナス併用払い（借入額の40%以内、1万円単位）から選択

※買取型の場合

第4章

住宅ローンの基礎知識

KEYWORD フラット35の「省エネ基準」への適合義務化

2023年4月以降の設計検査申請分から、新築住宅は「省エネ基準」への適合が義務化。「断熱性能等級4以上かつ一次エネルギー消費量等級4以上」「建築物エネルギー消費性能基準」のいずれかへの該当が必要だ。

【フラット35】Sって何？
どんな家が対象になるの？

耐震性などの性能をクリアすると
一定期間、フラット35よりも低金利です

　フラット35よりも低い金利が一定期間適用になるので、毎月返済額や総返済額をより少なくできるのが【フラット35】S。利用するにはフラット35の基準に加えて、高い水準の断熱を実現した「省エネルギー性」、地震に強い「耐震性」、高齢者等にやさしい「バリアフリー性」、長く暮らせて間取り変更などが用意な「耐久性・可変性」のうちの1つ以上を満たす必要があります。

　2022年10月以降の設計検査申請分からは、脱炭素社会の実現に向けた取り組みを加速するために、省エネルギー性の基準が見直されたほか、ZEH等住宅も【フラット35】Sの対象に。一部、基準が緩和され、免震建築物は【フラット35】Sの金利Bプランから、Aプランの対象に見直されました。【フラット35】Sの基準はとても細かいので、これから建てる家が対象になるかは住宅会社に尋ねるといいでしょう。

ここが大切

金利A※プランは、①断熱性能等級5＆②一次エネルギー消費量等級6／耐震等級3or免震建築物／高齢者等配慮対策等級4以上／長期優良住宅のなかから1つ以上を満たすことが条件。

金利B※は一次エネルギー消費量等級6／断熱性能等級5以上／耐震等級2以上／高齢者等配慮対策等級3以上／劣化対策等級3＆維持管理対策等級2以上のなかから1つ以上を満たすこと。

2022年10月からZEH等の基準に適合する住宅も【フラット35】Sの対象になった。金利の引き下げ期間は5年間。2022年9月以前の設計検査申請分も、再度、申請を行うことで適用される。

※ 新築住宅の場合

プランの名前	金利引き下げ幅※と期間
【フラット35】S（ZEH）	当初5年間 — 0.75%
【フラット35】S（金利Aプラン）	当初5年間 — 0.75%
【フラット35】S（金利Bプラン）	当初5年間 — 0.25%

※2025年3月31日申込受付分までのフラット35の金利からの引き下げ幅

【フラット35】Sの4つの住宅性能基準

省エネルギー性

高水準の断熱性などを実現した住宅

耐震性

強い揺れに対して倒壊や崩壊などをしない程度の性能を確保した住宅

バリアフリー性

高齢者が日常生活を行いやすいようにした住宅

耐久性・可変性

長期優良住宅など、耐久性があり長期にわたって良好な状態で暮らせるための措置を講じた住宅

ZEH（ゼッチ）

KEYWORD

ZEHとはネット・ゼロ・エネルギー・ハウスの略。断熱性能や省エネ性能が高く、太陽光発電システムなどでエネルギーをつくることで、「使うエネルギー≦創るエネルギー」になる住宅のことを指す。

第4章
住宅ローンの基礎知識

【フラット35】子育てプラスってどんな人が利用できるの？

子どもの人数などに応じて
【フラット35】の金利が一定期間引き下げられます

　【フラット35】にはさまざまな借り入れニーズに応える住宅ローンがラインナップされています。ZEHを取得する場合の【フラット35】S（ZEH）や、長期優良住宅を取得する場合の【フラット50】、そして、子育て世帯または若年夫婦世帯が対象の【フラット35】子育てプラスがあります。これは子育て世帯は子ども一人当たり、当初5年間の金利が0.25％引き下げられるもの。金利引き下げ幅は1.0％が上限で、子どもが5人以上の場合は次の5年間以降、5人目からの人数に応じて金利が引き下げられます。また、夫婦または同性パートナーのいずれかが40歳未満の若年夫婦世帯は、当初5年間の金利が0.25％引き下げとなります。

　なお、【フラット35】子育てプラスには予算金額があり、予算上限に達する見込みとなった場合は、受け付けが締め切られますので注意しましょう。

ここが大切

【フラット35】子育てプラスの子育て世帯とは、借入申込年度の4月1日で18歳未満の子どもがいる世帯のこと。子どもとは、実子や養子、継子、同居の孫のほか、妊娠中の場合も対象になる。

【フラット35】子育てプラスの若年夫婦世帯とは、借入申込年度の4月1日で夫婦のいずれかが40歳未満の世帯。法律婚や同性パートナー、事実婚の関係も含まれる。なお、婚約状態は対象外。

【フラット35】子育てプラスは【フラット35】Sや、【フラット35】維持保全型、地域連携型などと併用が可能。組み合わせには一定のルールがあるので、【フラット35】の公式サイトで確認を。

子どもの人数などに応じて金利引き下げのポイントが加算される

■子ども1人あたり1ポイントが加算され、1ポイント当たり0.25%引き下げになる

世帯の種類	金利引き下げ幅と期間
子育て世帯　子ども　1人　（1ポイント）	当初5年間　　—0.25%
子育て世帯　子ども　2人　（2ポイント）	当初5年間　　—0.5%
子育て世帯　子ども　3人　（3ポイント）	当初5年間　　—0.75%
子育て世帯　子ども　4人　（4ポイント）	当初5年間　　—1.0%
子育て世帯　子ども　5人　（5ポイント）	当初5年間　　—1.0% 6年〜10年目　—0.25%
若年夫婦世帯　（1ポイント）	当初 5年間　—0.25%

子どもの人数や住宅の性能で加算されるポイントの合計が違ってきます。子どもは1人当たり1ポイント。住宅性能は【フラット35】S（ZEH）は3ポイント、【フラット35】維持保全型は1ポイントなど種類によって異なるため、【フラット35】の公式サイトをチェックしておきましょう。

第4章
住宅ローンの
基礎知識

KEYWORD

【フラット35】地域連携型

子育て世帯や地方移住などに対して積極的な取り組みを行う地方公共団体と連携。一定期間、借入金利から0.25%が引き下げられる。【フラット35】Sや【フラット35】維持保全型などと併用も可能。

財形住宅融資って何？
どんな人が利用できるの？

財形貯蓄をしている人が利用できる
5年固定金利制のローンです

　勤務先で給与天引きの財形貯蓄をしている人が利用できるのが財形住宅融資です。財形貯蓄には「一般財形貯蓄」「財形年金貯蓄」「財形住宅貯蓄」がありますが、利用しているのがどの財形貯蓄でも融資対象になります。

　財形住宅融資の特徴は金利が5年固定金利制だということ。完済まで5年ごとに金利を見直すため、将来、金利が上がって返済額が増える可能性もあります。返済期間を長くするなら、金利が上がった場合でも家計に無理なく返済できるかどうか、あらかじめ試算してから借りるのが安心です。

　なお、財形住宅融資が利用できるかどうかは、勤務先から利子補給や住宅手当などの負担軽減措置が受けられることなど、いろいろな条件があります。右頁の「借りる人の条件」の欄をよく確認してから勤務先に問い合わせてみましょう。

ここが大切

金利は5年固定金利制。ここ数年は低金利時代が続いているので、将来的には金利ダウンよりも金利アップ、または横ばいの可能性が高い。将来の金利リスクを考えたうえで借り入れることが大切。

住宅金融支援機構が扱う「機構財形住宅融資」とフラット35を併用する場合は、両方の融資額合計で建設費または購入価額が上限。各融資の融資額は、それぞれ所要額の90％が上限。

一般の住宅ローンでは、融資事務手数料が数十万円もかかることが。しかし、財形住宅融資は、融資事務手数料の他、保証料も不要。初期コストを抑えられるという点もメリットのひとつだ。

借りる人の条件	● 給与天引の一般財形貯蓄、財形年金貯蓄、財形住宅貯蓄のいずれかを1年以上続け、申し込む日の前2年以内に預け入れを行っていること。かつ、申し込み日に残高が50万円以上ある人 ● 勤務先から利子補給や住宅手当などの負担軽減措置が受けられる人 ● 年収に占める総返済負担額の割合が年収400万円未満の人は30%以下、年収400万円以上の人は35%以下であること ● 申し込み時の年齢が満70歳未満 ● 独立行政法人勤労者退職金共済機構の財形転貸融資または共済組合等の財形住宅融資を受けられない人
住宅の条件	● 住宅金融支援機構の定める技術基準に当てはまる住宅であること ● 住宅部分の床面積が70㎡以上280㎡以下
融資額	● 財形貯蓄の合計残高の10倍、または住宅取得価額の90%のどちらか少ないほう ● 最高4000万円
返済期間	● (1)10年以上35年以内(1年単位) (2)完済時年齢が80歳になるまでの期間 (1)または(2)のいずれか短いほう
金利タイプ	● 5年固定金利制 ● 申し込み時の金利が適用
返済方法	● 元利均等返済、元金均等返済から選択 ● 毎月払い、ボーナス併用払い[2](借入額の40%以内、50万円単位)から選択

※1 機構財形住宅融資の場合　※2 融資額130万円以上で利用可

第4章　住宅ローンの基礎知識

KEYWORD

財形住宅融資の窓口

勤務先が窓口となる勤労者退職金共済機構が行う転貸融資、公務員の場合は共済組合が行う直接融資、これらの融資を受けることができない人は、住宅金融支援機構の機構財形住宅融資が利用できる。

Question 34

提携ローンって何？
どんなメリットがあるの？

住宅会社などが銀行と提携。
より低金利になる場合もあります

　「提携ローン」は不動産広告などで見かけたことがあっても、実はよく分からないという人も多いのではないでしょうか。提携ローンは、金融機関が住宅会社や不動産会社などとのこれまでの取り引きや、建てる物件の担保価値を認めて、同じ金融機関の住宅ローンよりも有利な条件で貸し出すものです。物件によっては、通常の引き下げ金利よりもさらに金利を引き下げるケースがあります。また、申し込む人の審査だけで済むので融資が可能かどうかの審査期間が短い場合も。右頁で解説するローン特約の対象にもなります。また、自分で銀行を決めて住宅ローンを借りる場合は、手続きなどで銀行に足を運ぶ必要がありますが、提携ローンの場合、手続きの一部を住宅会社の担当者が代行してくれることもあります。代行手数料はかかりますが、手間がかからない分、平日の昼間は仕事を抜けられない人や、忙しい人にとってメリットが大きいといえます。

ここが大切

ひとつの住宅会社が複数の金融機関と提携しているケースも。その場合、金利や繰り上げ返済の条件など、いろいろな角度から検討して自分にとってつきあいやすい金融機関を選択できる。

住宅会社や不動産会社の担当者が、住宅ローンの審査申込書の提出など、手続きの一部を代行してくれることもあるため、何度も銀行に足を運ぶ手間がかからないなどのメリットもある。

住宅ローンを申し込む人の勤務先が金融機関と提携していて、引き下げ金利が適用されることも。提携ローンだけがおトクと思い込まず、自分にとって有利な住宅ローンはないかを確認することが大切。

	提携ローンを借りる場合	自分で銀行を探して借りる場合
金利	提携先の銀行から直接借りるよりも低金利の場合がある	さまざまな金融機関を比較検討して選ぶことができる
手数料	銀行へ払う事務手数料の他に、住宅会社や不動産会社などに払う手数料がかかる場合がある	銀行へ払う事務手数料が必要
審査	物件や住宅会社の商品に対する審査が終わっているので、申し込む人の返済能力の審査のみ。審査は短期間で済むことが多い	申し込む人の審査の他に、物件の審査が行われる。提携ローンに比べて審査に時間を要することがある
手続き	住宅会社や不動産会社などの担当者が、審査のための手続きの一部を代行してくれることも。提携ローンは、予定した条件で融資が受けられなかった場合に売買契約を白紙にできるローン特約の対象になる	本審査、ローン契約などで銀行へ出向いたり、郵送などで手続きをする必要がある。なお、ローン特約の対象にならない場合もある

第4章　住宅ローンの基礎知識

提携ローン？

自分で探す？

BANK

ローン特約

KEYWORD

住宅ローンを借りられることを前提に住宅の建築を検討する場合、融資が受けられなければ住宅取得ができなくなる。そこで、予定した条件で融資が受けられない場合に契約を解除できるのがローン特約だ。

Question 35
住宅ローンを借りるとき　どんな審査があるの？

金融機関や保証会社によって内容は違いますが
健康状態や年齢、年収など返済能力が重視されます

　クレジットを組むときや少額のローンを借りるときでも審査があるのですから、たくさんのお金を借りて長期で返済する住宅ローンの場合ももちろん返済能力などを審査されます。審査内容は金融機関や保証会社によって違い、内容も非公表です。収入や勤続年数、借入時の年齢、現在返済中の借り入れはないかどうか、過去にクレジットやローンの延滞はないかといった情報などが、さまざまな角度から審査されるようです。ですから同じ年収でも、申し込む人によって借りられる金額が違ってくる場合があるのです。また、収入に見合った借入額を希望しているか、返済期間に無理はないかもチェック事項になります。審査の基準に満たなかった場合、融資を断られてしまうこともあれば、借入額や返済期間の見直しを求められることもあります。審査結果がどうなるかは、ケースバイケースです。

ここが大切

住宅ローンの審査では、収入の安定性や継続性が審査のポイントになる。これまでにローンやクレジットの延滞がないかなどの信用情報の他、勤続年数や勤務先、職種の安定性なども影響する。

審査基準に満たない場合は、希望の金額が借りられなかったり、返済期間の変更を求められることもある。審査基準はケースバイケースなので、他の金融機関をあたってみるのも方法のひとつ。

融資を断られた場合、すぐに他の金融機関をあたるよりも、まずは資金計画そのものに無理はないかどうかを見直すのが得策。収入に対して希望金額が多すぎないかなどをチェックしよう。

クレジットやローンの延滞をしていないか

クレジットカードを作ったり借り入れをしたときに、その情報は信用情報として記録される。延滞などの記録は最長7年間残るといわれており、過去に延滞をしたことのある人は住宅ローンが借りられないこともある。最近は、分割払いのスマートフォンの料金滞納で審査が通らない人も出てきている。

現在返済中の他のローンはないか

車のローンやリボ払いなど、返済中のローンがある場合は住宅ローンを申し込む前に完済してしまうのがベスト。他の借金があるからといって住宅ローンが借りられなくなるわけではないが、融資額が減る場合がある。

勤続年数が1〜3年未満ではないか

短期間で転職を繰り返している人は、住宅ローンが借りにくい場合がある。スムーズに審査に通るかどうかは勤続年数がポイント。金融機関によって1年、2年、3年といった条件が設定されている。ただし、同職種でのキャリアアップのための転職なら審査に影響がないこともあるので金融機関に相談してみよう。なお、フラット35の場合は、原則申し込み年度の前年の収入で審査され、勤続年数の条件はない。

健康状態は良好か

民間の住宅ローンは団体信用生命保険への加入が必須。つまり、銀行の住宅ローンを借りるなら、生命保険に加入できる健康状態であることが必要だ。

第4章
住宅ローンの
基礎知識

KEYWORD

審査金利

一般的に銀行の住宅ローンには年間総返済額が税込年収の35％以内などの基準がある。ただし、金利上昇のリスクがある変動金利や固定期間選択型は実際の金利より高めで審査され、融資額が抑えられることが多い。

Question 36
銀行から借りられる金額の目安は出せる?

銀行からの借入可能額の目安を
年収と返済期間から出すことができます

　銀行からの借入可能額を知る目安にはいくつかのポイントがあります。まず家を建てるための費用。この金額を超えて借りることは原則できません。そして、住宅ローンと他の借入金を併せた年間返済額が税込年収の35%までという条件を設定している銀行が多いです。例えば年収400万円の場合、返済にあてられる金額は140万円までということになります。現在返済中の借入金がない場合、年間返済額が140万円になる金額まで借りることができるというわけですが、その借入可能額がいくらになるかは、金利や返済期間によって違ってきます。右頁の表は審査金利を最近の変動金利よりも高い3%に設定して試算した借入可能額です。実際に借りられる金額は、勤務先の安定性や勤続年数などによっても違ってきますので、あくまでも目安にしてください。

　なお、銀行から借りられる上限を借りると返済はラクではありません。無理のない金額に抑えるようにしましょう。

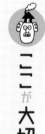

ここが大切

銀行の住宅ローンの場合、年間総返済額は税込年収の35%まで、という基準を設けている銀行が多い。この年間総返済額には借り入れを希望する住宅ローンだけでなく、返済中の借り入れも含まれる。

夫婦の収入を合算することができれば、借りられる金額が増える場合もある。ただし、どちらかが仕事を辞めたり収入が減ったりした場合でも返済していけるかどうかを慎重に考えて借りること。

土地を購入して家を建てる場合、土地と家をセットで1本の住宅ローンで取得費用が借りられるケースも多い。土地探しから始める人は事前に住宅会社、不動産会社に相談しよう。

借入可能額の目安※

税込年収	25年返済	30年返済	35年返済
300万円	1845万円	2075万円	2273万円
400万円	2460万円	2767万円	3031万円
500万円	3075万円	3459万円	3789万円
600万円	3690万円	4150万円	4547万円
700万円	4305万円	4842万円	5305万円
800万円	4920万円	5534万円	6062万円

※審査金利3%の場合。元利均等返済、税込年収に占める年間返済額の割合を35%に設定

実際に借りられる金額は銀行によっても違ってくるので、この表はあくまでも目安にしてください。また、「借りられる金額＝ラクに返済できる金額」ではないので要注意！

第4章 住宅ローンの基礎知識

 借りられる金額 ラクに返済できる金額

KEYWORD

返済負担率

税込年収に占める年間総返済額の割合のこと。多くの住宅ローンが35%を上限にしているが、上限を借りると家計が厳しくなるケースが多い。安心して返済するためには多くても25%以下に抑えたい。

Question 37
建築資金に借りた金額の他に どんな支払いがあるの？

借りた金額と諸費用の他に 利息の支払いがあります

　住宅ローンには金利がかかりますから、融資を受けた「元金」（借入額）の返済の他に、利息分のお金も支払っていくことになります。つまり、「元金＋利息」が総返済額です。

　でも実は、住宅ローンを利用することで他にもいろいろと出費があります。これが第3章の88〜91頁で解説した「住宅ローンにかかわる諸費用」です。諸費用は保証料や事務手数料、ローン契約書にかかる印紙代、抵当権設定費用の他に、多くの住宅ローンで火災保険料がかかります。

　どの住宅ローンを利用するかによっても違ってきますが、ローンの諸費用は物件価格の5％程度を目安に考えておくといいでしょう。なお、諸費用は現金で払うものも多いですから、その分を自己資金から確保しておくためにも何がかかるかを知っておくことが大切です。

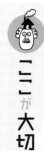

ここが大切

住宅ローンの諸費用のうち、事務手数料と保証料はローンの選び方で違ってくる。事務手数料は金融機関やローン商品によって違う。保証料はフラット35やネット銀行など一部の金融機関では不要。

最近は物件価格100％に諸費用分まで上乗せして融資する住宅ローンがある。しかし、借入額が増えれば総返済額は大きくなる。無理の無い返済計画のためには諸費用は現金で用意しておきたい。

事務手数料は借入金額に関係なく3万〜5万円程度の金額が一律で設定されている場合と、融資額の2％などと借りる金額によって違う場合がある。どちらがコストが少ないかはケースバイケース。

金利の高さや借入金額、返済期間によって違ってくる。返済期間が長いほど利息は増えるので、早く返した方がおトク

借入額のこと。家づくりの費用で自己資金では足りない分をまかなう

- ● **事務手数料**(89頁)
- ● **保証料**(90頁)
- ● **印紙税**(92頁)
- ● **抵当権設定費用**(92頁)
- ● **団体信用生命保険特約料**(91頁)
- ● **火災保険料**(91頁)

選ぶ住宅ローンや返済期間、借入額などによって違ってくる

第4章
住宅ローンの基礎知識

諸費用の試算

KEYWORD

諸費用は選ぶ金融機関やローン商品、借入額、返済期間などによって違ってくる。住宅金融支援機構や一部の銀行のホームページで諸費用の概算を試算することができるので、活用して目安をつかんでおくといい。

Question 38

【フラット35】からは
いくら借りられる？

建築費以内で上限8000万円。
ただし、年収などの条件があります

　フラット35からいくら借りられるかは、フラット35に定められている「融資限度額8000万円以内」「建築費または購入価格以内」のどちらか少ないほうで、「税込年収に占める年間返済額の割合」の基準をクリアしていることが条件になります。

　建築費が3000万円の場合、フラット35から借りられるのは全額の3000万円ですが、年間返済額が右頁の年収基準を満たすことが必要です。3000万円を金利1.8％で借りると仮定し、35年返済を選択すると年間返済額は約116万円。116万円が30％を占める場合の年収は約386万円。つまり、税込年収が約386万円以上であれば基準をクリアすることになります。この基準の年収は適用金利や返済期間などで違ってきます。なお、フラット35は、建てる物件の条件も細かく決められています。利用条件が明確で、申し込み前に融資の可否がある程度判断できるので住宅会社の担当者に早めに確認するといいでしょう。

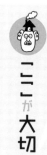

ここが大切

フラット35の融資限度額は8000万円。建築費用の100％を上限に借りることができる。また、建設に併せて取得した土地の購入費を含めることもできる。この場合の融資限度額も8000万円だ。

フラット35で融資の対象となる住宅の「建築費」には、設計費用や建築確認などの各種申請費用、適合証明検査費用、土地購入の際の仲介手数料、融資手数料、登記費用、火災保険料なども含まれる。

フラット35は物件に対する審査の条件が多い。銀行の住宅ローンを借りる場合よりも必要書類が多いので、住宅会社の担当者にフラット35を借りるつもりであることを早めに伝えておこう。

フラット35の借りられる金額の上限はこうして決まる

1 融資額 **8000** 万円 **以内**（100万円以上、1万円単位）

2 住宅の建築費・購入価格の **100**％以内

3 税込み年収に占める年間返済額※が下表の基準

年収	**400**万円未満	**400**万円以上
基準	**30**％以下	**35**％以下

※年間返済額には他の借り入れの返済額も含む

フラット35の融資限度額 ＝ **1 2** のうち、少ない方の額で **3** をクリアすることが条件

借入金額の単位

KEYWORD

フラット35の借入額は1万円単位だ。例えば3000万円を金利1.8％、35年返済で借りると総返済額は4045万7513円。頭金を1万円増やすと4044万4027円で総支払額が1万3486円減る。

第4章 住宅ローンの基礎知識

125

3000万円を借りたら 毎月いくら返済するの?

選ぶ返済期間や金利で違います。 選択肢を知っておくことが大切です

　住宅ローンのような大きな金額を借りるのははじめて、という人がほとんどでしょう。そのため、いったいいくら返すことになるのか見当がつきにくいのではないでしょうか。そこで、借入額3000万円、5000万円、7000万円の場合の返済額を見ていくことにしましょう。

　まずは3000万円を借りた場合。金利1.8%で返済期間が20年なら毎月返済額は14万8939円です(右頁CASE1)。しかし、同じ3000万円でも、金利0.5%で返済期間が35年なら毎月返済額は7万7875円。適用金利や返済期間が違うと毎月返済額と総返済額は大きく違ってくるのです。他にも、ボーナス返済(150頁)を利用するかしないか、元利均等返済・元金均等返済(140頁)のどちらにするかでも違ってきます。いくら借りるかも重要ですが、どうやって返済していくかもじっくり考えましょう。

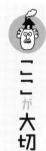

ここが大切

同じ3000万円を借りても、借り方・返し方によって毎月返済額は違ってくる。毎月返済額や総返済額を左右するのは金利、返済期間、ボーナス返済の有無、元利均等返済か元金均等返済かなど。

同じ金額を借り、同じ金利、返済期間などの条件を設定しても、返済スタート後に一部繰り上げ返済をすることで、毎月返済額や総返済額は変わってくる。資金計画は一度決めたら終わりではないのだ。

ベストな資金計画は借りる人の状況によって違ってくる。わが家の家計や将来設計を考えたうえで、借り方・返し方を選びたい。そのためにも、いろいろと試算することがおすすめだ。

CASE1　金利1.8％で20年返済の場合

借入額：3000万円／金利：1.8％／金利タイプ：全期間固定金利型／返済期間：20年
返済方法：元利均等返済／ボーナス返済：なし

完済までの毎月返済額 **14万8939円**

完済まで同じ返済額が続く。
完済までの総返済額は約**3475万**円

CASE2　金利0.5％※で35年返済の場合

借入額：3000万円／金利：0.5％／金利タイプ：変動金利型／返済期間：35年
返済方法：元利均等返済／ボーナス返済：なし

当初5年間の毎月返済額 **7万7875円**

変動金利なので5年ごとに返済額が見直されるため、
総返済額は完済してみないとわからない。
金利が0.5％のままと仮定すると、総返済額は約**3271万**円

第4章
住宅ローンの
基礎知識

※店頭表示金利よりも低い引き下げ金利

変動金利型だと
金利が上がると
返済額が増えるね！
リスクを考えて選ばなくちゃ

総返済額

KEYWORD

元金と完済までにかかる利息の合計額。借入時に総返済額が明確なのは完済までの金利が固定されているローンの場合だけ。変動金利型や固定期間選択型の場合は金利変動の可能性があるため総返済額はわからない。

Question 40
5000万円を借りたら
毎月いくら返済するの？

借入金額が大きいほど金利の高い低いの
毎月返済額への影響は大きくなります

　土地を購入し注文住宅を建てる場合など、5000万円程度の借入額になるケースは珍しくありません。借入額が大きくなるほど返済額は増えるのは当然ですが、適用金利の違いも返済額に大きく影響します。右頁 CASE1 のように、変動金利型 0.5％で借りた場合、毎月返済額は 12 万 9792 円。CASE2 の全期間固定金利 1.8％なら 16 万 545 円。その差は毎月 3 万 753 円。35 年間の総返済額で比べると、なんと約 1291 万円もの差になります。

　しかし、変動金利型の 0.5％は経済情勢などによって変動します。今は超低金利ですから下がるよりも上がる可能性が高く、今後の金利動向によっては、「変動金利で借りても、将来の金利が上昇し、全期間固定金利型の毎月返済額を追い抜いてしまう」という可能性も。変動金利型で借りるなら、金利上昇のリスクに耐えられる収入があるかなど、事前に考えておくことが大切です。

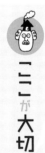

ここが大切

変動金利型 0.5％で借り、11 年目以降の金利が 1.5％に上昇すると毎月返済額は 14 万 6356 円に。返済スタート時よりも毎月の負担が 1 万 6564 円増える。総返済額は約 5949 万円になる。

変動金利型 0.5％で借り、金利が 11 年目に 1.5％に、21 年目に 2.5％に上昇すると、毎月返済額は 11 年目からは 14 万 6356 円、21 年目からは 15 万 7211 円に。総返済額は約 6144 万円になる。

変動と固定、どちらの総返済額が少なくなるのかは完済時までわからない。大切なのは、変動の場合、金利上昇の可能性を考えて、「借入時からすでに家計ギリギリ」という資金計画にしないことだ。

CASE1 金利0.5％で35年返済の場合

借入額：5000 万円／金利：0.5％／金利タイプ：変動金利型／返済期間：35 年
返済方法：元利均等返済／ボーナス返済：なし

毎月返済額（当初5年間）12万9792円

毎月返済額は CASE2 よりも 3 万 753 円少ない。

変動金利のため総返済額は完済までわからない。

金利が 0.5％のままと仮定すると、総返済額は約**5452**万円

CASE2 金利1.8％で35年返済の場合

借入額：5000 万円／金利：1.8％／金利タイプ：全期間固定金利型／返済期間：35 年
返済方法：元利均等返済／ボーナス返済：なし

毎月返済額16万545円

毎月返済額は CASE1 よりも 3 万 753 円多い。

完済まで金利が変わらないため、

完済までの総返済額は約**6743**万円

第4章

住宅ローンの
基礎知識

今は超低金利だから
変動金利で借りたら
将来、金利も返済額も
上がる可能性も高いわね。

KEYWORD	**金利上昇時の借り換え**

金利が上がり始めたら、固定金利型に借り換えようと思っている人は要注意。通常、固定金利型のほうが変動金利型よりも先に金利が上がるため、借り換えたとしても返済負担が大幅に増えるケースも予想できる。

Question 41

7000万円を借りたら
毎月いくら返済するの？

**住宅ローンの返済は長期。今は無理がなくても
将来の働き方や家計の変化に注意**

　7000万円を金利0.5％で借りた場合の返済額は、返済期間35年なら毎月返済額は18万1709円（右頁CASE1）、返済期間30年なら毎月返済額は20万9432円（CASE2）。

　借入額7000万円は、注文住宅の借入平均額の約1.8倍（23頁）。このような高額な借り入れで注意したいのは、現在の年収で無理はないのか、また、将来はどうなのかということ。一般的には、家計に無理のない年収負担率は20～25％以内といわれます（ただし、各世帯の事情によって異なる）。CASE1では年収約872万円、CASE2は約1008万円以上なら年収負担率25％以内です。しかし、将来、夫か妻のどちらかが仕事を辞めるなどで年収が減ったり、教育費が想定以上に必要になったりすれば、返済が苦しくなることも。また、変動金利で借りた場合は金利上昇リスクも考えておかなくてはいけません。高額の借り入れをする場合は、くれぐれも長期的な視野で資金計画を立てるようにしましょう。

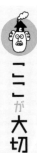

ここが大切

借入額が大きいほど、金利上昇は大きなリスク。変動金利型0.5％で借り、11年目以降に金利1.5％になると、35年返済なら毎月返済額は18万1709円から20万4900円になり、2万円以上の負担増だ。

景気がよくなる前には株価が上がり、少し遅れて金利が上昇するといわれている。インフレ率が高水準となっている米国では政策金利の利上げが加速中。米国の住宅ローンの金利も上昇傾向だ。

日本の住宅ローンは、長期金利に連動する固定金利型の金利が上昇している。一方、短期プライムレートに連動する変動金利型は低金利を維持している。今後の金利動向に注目しよう。

CASE1　金利0.5%で35年返済の場合

借入額：7000万円／金利：0.5%／金利タイプ：変動金利型／返済期間：35年
返済方法：元利均等返済／ボーナス返済：なし

毎月返済額（当初5年間）18万1709円

年間総返済額は約218万円。
年収負担率25%とすると、必要な税込年収は約**872**万円

CASE2　金利0.5%で30年返済の場合

借入額：7000万円／金利：0.5%／金利タイプ：変動金利型／返済期間：30年
返済方法：元利均等返済／ボーナス返済：なし

毎月返済額20万9432円

年間総返済額は約252万円。
年収負担率を25%とすると、必要な税込年収は約**1008**万円

第4章

住宅ローンの
基礎知識

この返済額を
返していけるのか
家計の事情はそれぞれ
よく考えなくちゃ！

年収負担率

KEYWORD

住宅ローンの「年収負担率」とは、「年収に占める年間総返済額の割合」のこと。住宅ローンの審査の際には、マイカーローンなど返済中のローンも含めて割合が出され、融資限度額を決める基準のひとつになる。

Question 42

固定金利型や変動金利型、どんな違いや特徴があるの？

**完済までの金利が変わるか変わらないかが
返済額に影響します**

　金利タイプには大きく分けて「変動金利型」と「固定金利型」があります。それぞれのメリットとデメリットを知っておくといいでしょう。変動金利型は引き下げ金利が適用されれば、今は固定金利型に比べて金利が低く、当面の返済額を少なくできます。しかし、金利が上昇すれば返済額が増えるリスクがあります。一方、固定金利型は完済までの金利が固定された「全期間固定金利型」なら、最後まで返済額が変わらない安心感があります。その代表のフラット35は、1％台で借りられる金融機関が多いです。ただし、同じフラット35でも窓口になる金融機関によっては金利が高めなので注意が必要です。

　「変動金利型」「固定金利型」、この2つの金利タイプをもとにして、さまざまなバリエーションの金利タイプがあります。そこで、次の頁からその主なものをご紹介していきましょう。

ここが大切

金利タイプには大きく分けて「変動金利型」「固定金利型」があり、この2つをもとにしてさまざまなバリエーションがある。どんな金利タイプの住宅ローンがあるかは金融機関によって異なる。

変動金利型は、固定金利型に比べて今は金利が低めになっている。しかし、金利は定期的に見直され、それに伴って返済額も変動する。将来金利が上昇すれば返済額がアップするリスクがある。

固定金利型は、今は変動金利型に比べて金利は高め。ただし、金融機関によっては20年固定で1％台という低い金利が適用されているケースもある。フラット35は、1％台後半に上昇している。

<変動金利型＞は金利上昇のリスクを考えておくことが大切

一般的な変動金利型の返済額見直しは5年に1度

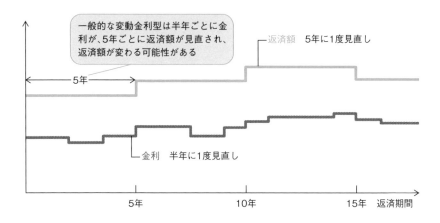

一般的な変動金利型は半年ごとに金利が、5年ごとに返済額が見直され、返済額が変わる可能性がある

5年

返済額　5年に1度見直し

金利　半年に1度見直し

5年　　　10年　　　15年　返済期間

返済額が見直される際に、変動金利型の場合は「これまでの返済額の125%が上限」というルールがあり、急激な返済額アップは避けられます。しかし、利息の支払いが優先されるため未払い利息が発生するリスクがあります。

変動金利型のメリット＆デメリット

- ● メリット
  現在は低金利が利用できるため、総返済額を抑えることができる。また、金利が高いローンよりも元金の減りが早い
- ● デメリット
  半年に1度金利が見直され、経済情勢によっては金利が上昇し、将来の返済額が増える可能性がある

こんな人におすすめ

- ● 将来、返済額が増えても無理なく返済できる家計の余裕がある人
- ● 金利の動向をチェックし、上昇したときに繰り上げ返済をして返済額を減らすなどの対応がとれる人

未払い利息

KEYWORD

金利が大幅に上昇し利息分だけで返済額以上になると、毎回の返済だけでは払えない利息が発生する。これが未払い利息。金融機関によって完済時に精算したり、5年ごとの返済額見直し時に精算するなど対応はさまざま。

＜全期間固定金利型＞は返済計画が立てやすい

＜返済中は金利は一定。返済額も完済まで変わらない＞

返済額　金利が変わらないので完済まで一定

金利　当初の金利が完済まで変わらない。
多くの住宅ローンは、ローン実行時の金利が適用される

返済期間

完済まで金利が変わらない全期間固定金利型は、返済額が最後まで一定です。

全期間固定金利型のメリット＆デメリット

● メリット
完済するまで適用になる金利が決まっているので、「将来、返済額が増えたらどうしよう」という不安がない

● デメリット
変動金利型に比べて金利が高め。このまま低金利時代が続くと、変動金利型で借りた場合よりも総返済額が多くなる

こんな人におすすめ

● 住宅ローンの返済は家賃感覚で一定額を返済していきたい人

● 金利変動に一喜一憂せず、住宅ローンの返済を計画通りに進めたい人

<選んだ固定期間中は固定金利なので返済額は一定>

A 固定期間（10年）終了後、変動金利型を選ぶ場合

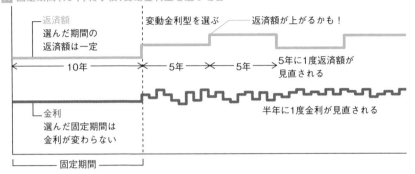

返済額
選んだ期間の
返済額は一定

変動金利型を選ぶ　　返済額が上がるかも！

10年　　5年　　5年　　5年に1度返済額が
見直される

金利
選んだ固定期間は
金利が変わらない

半年に1度金利が見直される

固定期間

B 固定期間（10年間）終了後、再び固定期間を選ぶ場合

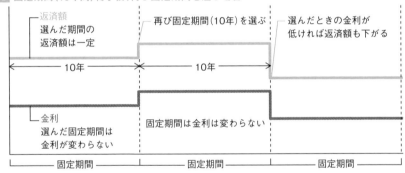

返済額
選んだ期間の
返済額は一定

再び固定期間（10年）を選ぶ　　選んだときの金利が
低ければ返済額も下がる

10年　　10年

金利
選んだ固定期間は
金利が変わらない

固定期間は金利は変わらない

固定期間　　固定期間　　固定期間

第4章

住宅ローンの
基礎知識

固定期間中は金利が変わらない固定期間選択型。固定期間が終了すると、その時点での金利に見直され、変動金利型や金融機関によっては再度固定期間を選択できます。

固定期間選択型のメリット＆デメリット

● メリット
固定期間中は金利が変動しないため、返済額が変わることがなく一定額を返済していける

● デメリット
固定期間終了後、金利が大幅に上がっていると、返済額も大幅に上がるリスクがある

こんな人におすすめ

● 「子どもが大学卒業まで」など、返済額を一定にしたい期間が決まっている人

● 毎年の収入が一定ではない自営業の人など

135

＜金利が途中で変更。変更後の金利も当初に決定されている＞

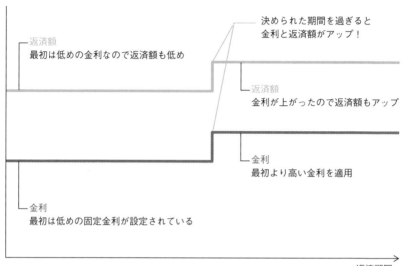

返済額
最初は低めの金利なので返済額も低め

決められた期間を過ぎると
金利と返済額がアップ！

返済額
金利が上がったので返済額もアップ

金利
最初より高い金利を適用

金利
最初は低めの固定金利が設定されている

返済期間

一定期間が過ぎた後、金利が変更になるのが段階金利型。フラット35Sがその代表です。金利アップ後の返済額に無理がないかどうかを考えて選びましょう。

段階金利型のメリット＆デメリット

● メリット
借入時に完済までの金利が確定しているので、当初の返済額と、金利アップ後の返済額が明確

● デメリット
当初の返済は余裕があっても、金利アップ後の返済額が家計を圧迫する場合がある。将来も見据えた返済計画が必要

こんな人におすすめ

● 当初の返済額を抑えたい人

● 将来、共働きになるなど収入が増える予定がある人

＜固定金利型と変動金利型を組み合わせて借りる＞

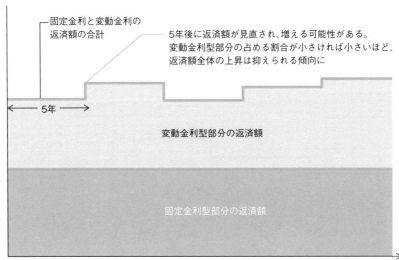

固定金利と変動金利の
返済額の合計

5年後に返済額が見直され、増える可能性がある。
変動金利型部分の占める割合が小さければ小さいほど、
返済額全体の上昇は抑えられる傾向に

← 5年 →

変動金利型部分の返済額

固定金利型部分の返済額

返済期間

変動金利型と固定期間選択型のミックスというパター
ンです。金融機関によってミックス型がない場合や、
組み合わせに制限がある場合があります。

金利ミックス型のメリット＆デメリット

● メリット
　低金利な変動金利型と、安定した返済額の固定金
　利型の両方のメリットを利用できる

● デメリット
　扱っている金融機関が少ない

こんな人におすすめ

● 変動金利型のメリットと上昇リ
　スクのバランスを考えて、資金
　計画を考えたい人

137

＜完済まで5年ごとに金利が見直される＞

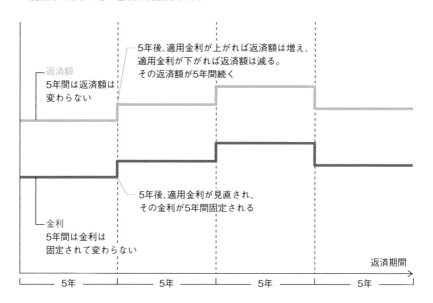

返済額
5年間は返済額は
変わらない

5年後、適用金利が上がれば返済額は増え、
適用金利が下がれば返済額は減る。
その返済額が5年間続く

5年後、適用金利が見直され、
その金利が5年間固定される

金利
5年間は金利は
固定されて変わらない

返済期間

5年　　5年　　5年　　5年

 財形住宅融資の金利がこのタイプです。一般の住宅
ローンの固定期間選択型で、固定期間5年を選択し続
けるのと同じことといえます。

5年固定金利制のメリット＆デメリット

● メリット
　市場金利がどんなに上がっても、5年間は金利が
　固定される
● デメリット
　5年ごとの金利見直しの際、金利がアップすれば、
　返済額も増えることになる

こんな人におすすめ

● 金利が上昇しても、無理なく返
　済できる家計の余裕がある人
● 金利が上昇したときに、繰り上
　げ返済で返済額を減らすなどの
　対策がとれる人

＜ローンの残高のうち、預金と同じ金額までは金利が下がる＞

元金3000万円

住宅ローンの
金利がかかる

預金残高と同額分の住宅ローン残高が金利ゼロになったり、下がったりする。残高が多ければ多いほど、借り入れの利息が低くなり、元金の減りが早くなる

預金1500万円

預金残高と同じ
1500万円部分は
金利が下がる

預金分の借り入れには金利がゼロ、もしくは低い金利になるため、手元に資金を残したまま繰り上げ返済と同じ効果を得ることができます。もともとの金利は少し高めなので利息軽減効果があるかどうかをよく考えて選びましょう。

預金連動型のメリット＆デメリット

● メリット
　預金残高が多ければ多いほど、利息が少なくなる
● デメリット
　団体信用生命保険特約料などのコストがかかる
　他、もともとの金利が高めに設定されているため、
　預金が減った場合は返済額が多くなる

こんな人におすすめ

● 預金が多く、今後も使う予定が
　ない人
● 個人事業主などで手元に資金を
　確保しておきたい人

第4章
住宅ローンの
基礎知識

139

Question 43
元利均等返済と元金均等返済、どんな違いがあるの?

完済まで返済額が一定か、元金が一定か。
その違いは毎回の返済額に影響します

　返済方法には「元利均等返済」と「元金均等返済」があります。右頁の図を見てください。「元利均等返済」は毎回の返済額が同じになるように、元金と利息の割合を調整している返済方法です。つまり"元金と利息の合計が均等"ということ。「元金均等返済」は"元金が毎回均等で、残っている元金にかかる利息がプラスされる"返済方法。返済スタート時は残りの元金が多いのでかかる利息も多く、元利均等返済に比べて返済額が多くなります。ただし、返済が進むにつれて毎回の返済額は減っていきます。

　一般的に利用されているのは元利均等返済のほう。元金均等返済は採用していない金融機関が多いので、元金均等返済を選択したい場合はあらかじめ調べておきましょう。

　なお、モデルハウスや金融機関での試算は元利均等返済で行われるケースがほとんどです。

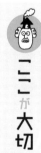

ここが大切

「元利均等返済」とは、元金と利息の合計が均等になる返済方法。完済までの毎回の返済額は一定になる。返済スタート当初は、返済額のうちに元金の割合が少ないので、元金の減りが遅め。

「元金均等返済」とは、均等に割った元金に対して利息がかかる返済方法。返済スタート当初は利息のかかる元金が多いので、元利均等返済よりも返済額が多いが、返済が進むにつれて減っていく。

元金均等返済は採用していない金融機関もあり、元利均等返済のほうが一般的。そのため、モデルハウスや金融機関での試算に使われる。元金均等返済を選ぶ場合は返済額が違うので注意が必要。

元利均等返済の仕組み

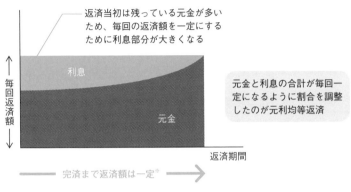

返済当初は残っている元金が多いため、毎回の返済額を一定にするために利息部分が大きくなる

利息

元金

毎回返済額

返済期間

→ 完済まで返済額は一定※ →

元金と利息の合計が毎回一定になるように割合を調整したのが元利均等返済

元金均等返済の仕組み

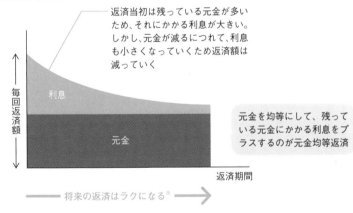

返済当初は残っている元金が多いため、それにかかる利息が大きい。しかし、元金が減るにつれて、利息も小さくなっていくため返済額は減っていく

利息

元金

毎回返済額

返済期間

→ 将来の返済はラクになる※ →

元金を均等にして、残っている元金にかかる利息をプラスするのが元金均等返済

第4章
住宅ローンの基礎知識

選択のポイント

KEYWORD

「元利均等返済」は返済額を抑えながら一定額を返済していきたい人向き。「元金均等返済」は早めにローン残高を減らして、将来の返済をラクにしていきたい人向きだ。将来の家計状況を予測したうえで選びたい。

※ 完済まで金利が変わらない場合

元利均等返済と元金均等返済、どちらがおトクなの？

総返済額が少ないのは元金均等返済ですが
それぞれメリット・デメリットがあります

　フラット35など、元利均等返済と元金均等返済のどちらの返済方法も用意されている場合、選択に迷う人もいるでしょう。それぞれのメリット、デメリットを知っておき、自分に合った返済方法を選ぶようにしましょう。

　「元利均等返済」は返済スタート時の返済額が元金均等返済よりも少なくなります。早期に繰り上げ返済をすれば、元金均等返済よりも利息軽減効果が大きいところもメリットです。ただし、繰り上げ返済などをせずに淡々と返済していく場合は、利息が元金均等返済よりも多いため総返済額が多くなります。

　「元金均等返済」は返済スタート時の返済額が多めになるデメリットはありますが、元利均等返済に比べて利息の支払いが少なくて済むため、総返済額を少なくできるのがメリットです。当初の返済額が無理なく返済できる範囲なら、元金均等返済のほうがおトクといえるでしょう。

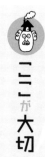

ここが大切

元利均等返済と元金均等返済を比べると、当初の返済額は元利均等返済のほうが少ない。しかし、返済が進むにつれて元金均等返済の返済額は減少し、元利均等返済よりも少なくなる。

繰り上げ返済をせずに返済を続けていった場合、完済までの総返済額は元金均等返済のほうが少なくなる。これは、元利均等返済のほうが元金の減りが遅く、かかる利息が多くなるため。

早めに繰り上げ返済をする場合、元利均等返済のほうが利息軽減効果は高くなる。総返済額を比べてどちらが有利になるかは、返済スタート後にどう返済していくかによっても違ってくる。

借入額3000万円を金利1.8%、返済期間35年で返済した場合

	当初の毎月返済額	総返済額
元利均等返済	9万6327円	約4046万円
元金均等返済	11万6428円	約3948万円

※全期間固定金利型、
ボーナス返済なしで試算

第1回の返済は「元利均等返済」
のほうが2万101円少ない！

総返済額は「元金均等返済」の
ほうが約98万円少ない！

元利均等返済と元金均等返済を比べると？

	元利均等返済	元金均等返済
借入可能額	多い	少ない
当初の返済額	少ない	多い
支払う利息	多い	少ない
元金の減り方（残債）	返済開始当初は減少が少ない	一定
繰り上げ返済の効果	早期に行うほど利息軽減・期間短縮効果が高い	期間短縮型の場合は、いつ行っても短縮される期間は同じ

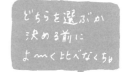

どちらを選ぶか
決める前に
よ～く比べなくちゃ

第4章
住宅ローンの
基礎知識

KEYWORD

元 金 均 等 返 済 で の 試 算

元利均等返済で返済負担率（121頁）が20％以下なら元金均等返済の選
択も検討したい。ただし、モデルハウスや銀行での試算は元利均等返済の
みの場合が多いので、フラット35のwebサイトで試算してみよう。

143

Question 45
住宅ローンの返済期間は最長で何年?

最長35年返済が一般的ですが年齢によっては短くなります

　一般的には80歳までに完済できる期間か、35年返済のどちらか短いほうが最長返済期間になります。その場合、40代後半以降に住宅ローンを借りる場合は、35年返済よりも短い期間が最長になります。例えば、50歳の人は30年が最長です。

　ただし、一部の銀行ローンの他、フラット50など、35年超の返済期間を設定できる住宅ローンもあります。フラット50の場合は年齢の条件をクリアできれば50年返済まで選択することが可能になります。同じ金額、同じ金利なら返済期間が長いほど毎回の返済額は少なくなりますから、フラット50などは毎月返済額を抑えることが可能になります。しかし、長い期間で返済すれば、その分利息も増えて総返済額が多くなります。変動金利の場合は返済期間が長いほど金利上昇リスクも高くなりますし、銀行ローンの場合は保証料や、フラット35やフラット50の場合は団体信用生命保険の特約料が多くかかることを知っておきましょう。

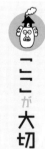

ここが大切

返済期間が最長50年の「フラット50」という商品もある。これは長期優良住宅の認定を受けた住宅、申し込み時に満44歳未満などが条件。借りられる金額の上限は建設費の60%だ。

返済期間が長ければ長いほど完済までに支払う利息、保証料、団体信用生命保険の特約料の金額が大きくなる。そのため毎月返済額は少なくても、住宅ローンにかかる総コストは大きくなる。

返済期間を短く設定するほど利息が減る分、総返済額は少なくなる。ただし、住宅ローン減税が適用される期間は、所得税や住民税を節税できるよう返済期間が10年以上残るようにしておこう。

返済期間が長いと毎月返済額や総返済額はどうなる？

借入額3000万円（融資率9割以下）を3パターンの返済期間で試算[1]

	フラット20[2]	フラット35	フラット50
金利（例）	1.46%	1.85%	1.95%
返済期間	20年	35年	50年
毎月返済額	14万4212円	9万7085円	7万8312円
利息割合	約13.4%	約26.5%	約36.2%
総返済額	約3461万円	約4078万円	約4699万円

返済期間が長いほど金利も高くなる

返済期間が長いと利息が多くなる分、総返済額が増える

[1] 金利は2024年8月の最多金利。借入期間や融資率、加入する団体信用生命保険の種類などによって異なる。全期間固定金利型、元利均等返済、ボーナス返済なしの場合
[2] フラット35のうち、15年以上20年以下の借入期間を選択した場合に適用される優遇金利の住宅ローン

同じ金額を借りても借り方・返し方でコストはずいぶん違うのね

第4章

住宅ローンの基礎知識

固定金利期間の長さと金利

KEYWORD

現在の住宅ローンは、固定金利期間が長いほど適用金利が高くなる傾向にある。フラット35の場合も同様で、返済期間21年以上のほうが20年以下よりも金利が高く設定されている。

返済期間は何年にすれば
安心して返済できる？

定年退職時までに完済するのが鉄則。
1年単位で設定できるのが一般的です

　住宅ローンは長くても定年退職時までに完済できるようにすることが大切です。退職すると多くの人は収入が年金のみになり、現役の頃よりも使えるお金が減ってしまうからです。

　そして、退職までに35年以上ある場合でも、返済に無理がなければできるだけ短い返済期間にするのがおすすめです。住宅ローンを早く返し終われば、老後のための貯金も余裕をもって貯められますし、将来、家を売ることになってもローンの残債がないほうが売りやすくなります。

　住宅ローンの返済期間は1年単位で設定できる金融機関が多いです。右頁の表を見るとわかるように、返済期間を35年から34年に変えるだけで、総返済額は約32万円も少なくなります。毎月返済額は約2000円アップしますが、1年でも短いほうが総返済額ではおトクです。

ここが
大切

定年退職後の収入は現役時代よりも減ってしまう人が多い。減った収入からローンを返済するとなると心理的な負担も大きいもの。返済期間は定年退職前に完済できるようにするのが鉄則。

定年退職まで35年以上あっても、できるだけ短い返済期間にすることで利息の支払いを減らすことができる。返済期間は1年単位の銀行が多いが、半年単位、1カ月単位のところもある。

返済期間を短くすると毎月の返済額は増える。これから必要になる教育費や車の買い換え費用、万が一に備える貯金もできるよう、無理のない範囲で返済期間を短くすることを検討してみよう。

借入額3000万円の返済期間を1年刻みで検討

返済期間	毎月返済額	総返済額	返済期間35年との利息差
35年	9万6327円	約4046万円	—
34年	9万8363円	約4014万円	約32万円
33年	10万527円	約3981万円	約65万円
32年	10万2830円	約3949万円	約97万円
31年	10万5285円	約3917万円	約129万円
30年	10万7909円	約3885万円	約161万円

返済期間を1年短くして、返済額を毎月2036円多くするだけで、返済が1年早く終わり、利息は約32万円少なくなる

※金利1.8%、全期間固定金利型、元利均等返済、ボーナス返済なしで試算

第4章

住宅ローンの基礎知識

35年 → 34年

返済額を1年短くするだけで
総返済額は
約 32万円 マイナス

条件変更で返済期間短縮

KEYWORD

返済途中で年収がアップしたり、子どもが独立して支出が減るなど家計に余裕が出てきたら、毎月返済額を増額して返済期間を短縮する条件変更も検討してみよう。

Question

47

返済期間を組み合わせたり
途中で変更したりできる?

組み合わせや返済期間の変更は可能。
でも、注意点や制約もあります

　ローン契約を2本に分けたり、ペアローンにして夫と妻がそれぞれに借りれば、返済期間の違う住宅ローンを同時に利用することができます。この場合、諸費用が多くなったり、住宅の名義を夫と妻の共有にする必要があるので注意しましょう。また、現在共働きの場合、返済額が多い期間にどちらかが仕事を辞めることになっても返済していける範囲で借りるのが安心です。

　返済途中の返済期間の変更は、手軽にできるものではありません。返済期間を短くすれば毎月返済額が増えるため、年収条件をクリアしているかの審査を受けることになります。返済期間を長くする場合は、借り入れたときに最長返済期間を設定していると、それ以上の延長が難しくなります。また、返済期間を延ばすことで完済時年齢が金融機関の設定した上限年齢を超える場合も変更が難しくなります。返済期間は途中で変更しなくてもいいように、借り入れのときに慎重に決めるようにしましょう。

ここが大切

共働きの夫婦がそれぞれに返済期間10年以上の住宅ローンを借りると、住宅ローン減税が2人分受けられ、所得税額によっては1人で住宅ローンを借りるよりも減税効果が高い場合がある。

夫婦でそれぞれに住宅ローンを借りる場合、将来、仕事を辞める可能性がある人は借入額は少なめ、返済期間は短めにしておきたい。また、借りた金額の割合で共有名義にすることを忘れずに。

返済途中での返済期間の変更は、まずは金融機関に相談して審査を受ける必要がある。希望通りに変更できないことも多いので、繰り上げ返済での返済期間短縮や返済額軽減を先に検討してみよう。

ペアローンで返済期間を2つ組み合わせた場合

借入額3000万円を返済期間35年（金利1.8%）と20年（金利1.8%）で返済

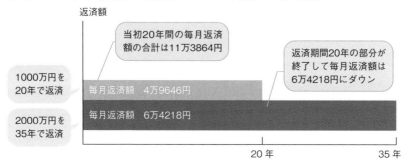

返済額

当初20年間の毎月返済額の合計は11万3864円

返済期間20年の部分が終了して毎月返済額は6万4218円にダウン

1000万円を20年で返済

毎月返済額　4万9646円

2000万円を35年で返済

毎月返済額　6万4218円

20年　　　　35年

途中で返済期間を変更した場合※

返済期間を短くした場合

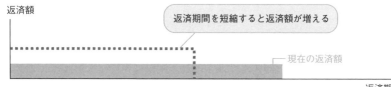

返済額

返済期間を短縮すると返済額が増える

現在の返済額

返済期間

返済期間を長くした場合

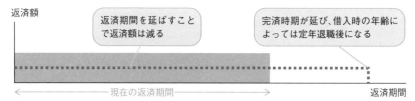

返済額

返済期間を延ばすことで返済額は減る

完済時期が延び、借入時の年齢によっては定年退職後になる

←──現在の返済期間──→

返済期間

※どちらも全期間固定金利、元利均等返済

KEYWORD

返 済 条 件 の 変 更

返済条件の変更には「返済期間の短縮」「返済期間の延長」の他、「ボーナス返済の有無」や「ボーナス返済と毎月返済の比率」「元利均等返済か元金均等返済か」「金利タイプ」などの変更ができる場合がある。

Question 48

ボーナス返済を使うと
返済額はどう変わるの？

**毎月返済額は少なくなりますが
ボーナス月の負担増に注意しましょう**

　ボーナス返済を使う場合は、借入額を毎月返済で返す分と、ボーナス返済で返す分に振り分けます。年2回のボーナス月には、毎月返済額とボーナス返済額を合計した金額を返済することになります。そのため、ボーナス月にはいつもよりも返済額が増えることになります。そのかわり、同じ借入額ならボーナス返済を使ったほうが毎月返済額を少なくすることができます。

　例えば、右頁の表を見てみましょう。同じ3000万円の借り入れでも、毎月返済のみ（ボーナス返済にまわす金額が0円）の場合と、3000万円のうち500万円をボーナス返済にまわす場合では、ボーナス返済を使ったほうが毎月返済額は1万6055円少なくなります。ボーナス月や通常の月の返済に無理がないよう、返済方法を決めるときに金融機関で試算してもらいましょう。なお、ボーナス返済には借入額の何割までまわせるか、などの条件は金融機関や住宅ローン商品によって違ってきます。

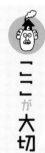

ここが大切

ボーナス月は年に2回。「2月と7月」「3月と8月」などのように、勤務先のボーナス支給月に合わせて設定できるのが一般的。転職などで支給月が変わった場合の変更にも対応してもらえる。

ボーナス返済を使う場合、通常月の元金の減りが小さくなるため利息が少し多くなる。とはいえ、右頁の表のボーナス返済500万円を毎月返済のみと比べると、増える利息は35年で約2万円だ。

ボーナスは転職などで支給額が変わる可能性がある。毎月返済額もボーナス返済額もどちらも無理をすると、支給額が減ったときにローン破綻のリスクも。ボーナス返済に頼りすぎないことが大切。

ボーナス返済を使うと毎月の返済にゆとりが出る

借入額3000万円を金利1.8％、35年で返済した場合※

ボーナス返済に まわす金額	毎月返済額	ボーナス月の返済額	総返済額
0円（毎月返済のみ）	9万6327円	9万6327円 （内、ボーナス返済分 0円）	約4046万円
500万円	8万272円	17万6858円 （内、ボーナス返済分 9万6586円）	約4048万円
1000万円	6万4218円	25万7390円 （内、ボーナス返済分 19万3172円）	約4050万円
1200万円	5万7796円	28万9602円 （内、ボーナス返済分 23万1806円）	約4050万円

※全期間固定金利型、元利均等返済で試算

第4章
住宅ローンの
基礎知識

年2回のボーナス月には、毎月返済分とボーナス返済分の合計額を返済することになります。

ボーナス返済分の割合

KEYWORD

ボーナス返済に振り分けることができるのは多くの金融機関の場合、借入金額の50％まで。フラット35や財形住宅融資は借入額の40％までだ。ただしこれは上限。家計の状況を考えて振り分ける額を決めよう。

Question 49

ボーナス返済に向いてる人は？
逆に向かない人は？

**ポイントはボーナス支給の安定性。
将来の安定度も考えて利用しましょう**

　ボーナス返済の利用が向いているのは、住宅ローンの返済に余裕があり、年収に占めるボーナスの比率が高い人。そして、公務員などボーナスの支給額が安定している人です。

　逆にボーナス返済の利用に向いていないのは、ボーナスのない自営業者や契約社員、勤務先の業績によってボーナス支給額の変動が大きい人、今後、転職を考えていて将来のボーナス支給額が不透明な人などです。

　ボーナスの支給額は、民間企業に勤めている場合は勤務先の業績によって左右されます。また、転職やリストラで支給額が減る可能性もあります。ですから、ボーナス返済に頼って借入額を自分が借りられる上限まで増やしたりするのは避けたほうがいいでしょう。万が一、ボーナスがなくなって、毎月返済のみに変更した場合でも返済に無理がない範囲で借りることをおすすめします。

ここが大切

ボーナスの支給額や支給の有無は、経済情勢、経営状況によって左右される。最近は大企業であっても定期的な昇給や終身雇用は確実ではない。借入額を増やすためのボーナス返済利用は避けたい。

今後、転職や独立の可能性がある人がボーナス返済を利用する場合は、ボーナス返済分の金額を少なくするか、毎月返済のみの返済方法に変更しても家計に無理が出ない借入額にすること。

返済途中でボーナス返済をなくして毎月返済のみにしたり、逆に毎月返済のみをボーナス返済併用にしたり、変更が可能な金融機関が多いが、念のため返済方法を決める前に確認しておきたい。

【ボーナス返済に向く人】

- ● ボーナスがこれからも必ずもらえる人
- ● 支給額が安定している人
- ● 年収に占めるボーナスの割合が高い人
- ● クレジットカードのボーナス払いを使わない人

＜ボーナス返済・ココがポイント！＞

年収に余裕があるなら、毎月返済額にボーナス返済を上乗せする形で年間返済額を増やし、返済期間を短くするのもアリ

【ボーナス返済を使うなら注意が必要な人】

- ● ボーナスがない人
- ● ボーナスは支給されるが金額が不安定な人
- ● 将来、転職や独立の可能性がありボーナスの支給額が減るかもしれない人
- ● 教育費や返済など、ボーナスの使い道が決まっていて、今後も変わらない人

＜ボーナス返済・ココがポイント！＞

ボーナス返済を利用するなら金額は少なめに

第4章
住宅ローンの基礎知識

KEYWORD

ボーナス返済月の延滞

いつもの月よりも返済額が増えるボーナス返済月。実は、ローン破綻に陥った人の中には、ボーナス月に延滞したことがきっかけの人も多い。ボーナス返済への振り分けはくれぐれも無理のない範囲で設定してほしい。

Question
50

繰り上げ返済って何？
どんなメリットがあるの？

元金を前倒しで返済すれば
総返済額を減らすことができます

　返済が始まってから、普段返済している分とは別に、前倒しで元金の一部、または全部を返済するのが「繰り上げ返済」です。元金が早く減るというメリットの他に、その元金にかかるはずだった利息もなくなるので、総返済額を減らす効果があります。

　繰り上げ返済には、返済期間はそのままで毎回の返済額を減らす「返済額軽減型」と、毎回の返済額はそのままで返済期間を短くする「期間短縮型」の2タイプがあります。毎回の返済負担が大きいと感じる人は「返済額軽減型」を、早く完済してしまいたいという人は「期間短縮型」を選ぶといいでしょう。毎月の返済を減らして楽にするか、早く完済して楽にするかは、そのときどきの家計状況やライフプランに合わせて決めるといいでしょう。

　なお、一部の住宅ローンでは、「期間短縮型」の繰り上げ返済は選べないものもあるので注意が必要です。

ここが大切

元金の一部、または全部を前倒しで返済するのが繰り上げ返済。「返済額軽減型」と「期間短縮型」の2タイプがあるが、どちらも、その元金にかかるはずだった利息をなくすため、総返済額が減る。

期間短縮型の繰り上げ返済の場合、繰り上げ金額は「毎回返済額のうちの元金×繰り上げる月数」分になる。自分が短縮したい期間の場合、繰り上げ金額はいくらになるのかを事前に聞いておくといい。

「契約時、繰り上げ返済は100万円以上からだったのに、数年後、1万円以上からになっていた」など、条件が変更になることがある。借入先の情報はホームページなどで随時チェックしよう。

「期間短縮型」は返済額はそのままで完済時期が早まる

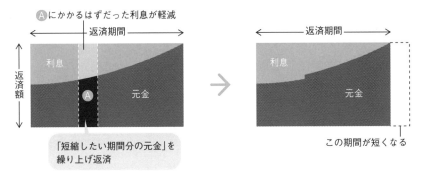

Ⓐにかかるはずだった利息が軽減

返済期間

利息

返済額

Ⓐ　元金

「短縮したい期間分の元金」を
繰り上げ返済

返済期間

利息

元金

この期間が短くなる

「返済額軽減型」は完済時期はそのままで毎回の返済額が減る

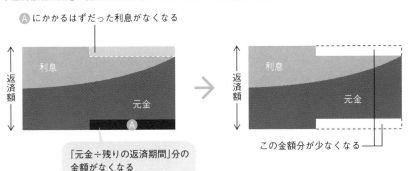

Ⓐにかかるはずだった利息がなくなる

返済期間

利息

返済額

元金　Ⓐ

「元金÷残りの返済期間」分の
金額がなくなる

利息

返済額

元金

この金額分が少なくなる

第4章　住宅ローンの基礎知識

KEYWORD

フラット35の繰り上げ返済手続き

繰り上げ返済をする月の返済日の1カ月前に金融機関に申し出て、返済日までに入金する。ボーナス返済を利用中で期間短縮型を選ぶ場合は、ボーナス返済月が変わらないよう6カ月単位での期間短縮になる。

Question 51

繰り上げ返済の
上手な利用の仕方は?

**返済期間の短縮か、返済額の軽減か
家計の事情に合わせて選びましょう**

「期間短縮型」は繰り上げ返済後の毎回の返済額は変わりませんが、同じ金額を繰り上げた場合の返済額軽減型よりも、利息をたくさん減らせます。毎回の返済額に余裕がある場合は期間短縮型がよさそうです。「返済額軽減型」は毎回の返済額を減らすことができますから、繰り上げ返済後の家計への負担が軽くなります。"完済する時期は問題はないけれど毎月のローン返済が多い"、と感じている人におすすめです。

なお、繰り上げ返済をして減らせる利息の金額は、実行時期が早ければ早いほど多くなります。1万円から受け入れる銀行も多いので、まとまった金額ができたら繰り上げようと考えずに、こまめに繰り上げ返済をしていくといいでしょう。ただし住宅ローン減税（198頁）の期間中に行うと控除額も減ってしまうため、金融機関に相談してよりお得な方法を選択しましょう。

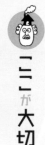

ここが大切

同じ金額を繰り上げ返済した場合、利息を多く減らせるのは期間短縮型のほう。繰り上げ返済の目的が「総返済額を減らす」ことであれば、迷わず期間短縮型で繰り上げるのがいいだろう。

退職後も返済が続く人は、できるだけ期間短縮型で繰り上げて完済時期を前倒しにしたい。ただし、返済額に余裕がない場合は先に返済額軽減型で返済額を減らしておくなど、上手に活用したい。

繰り上げ返済は早ければ早いほど利息軽減効果が高い。繰り上げ返済手数料が無料なら、コツコツお金を貯めてから繰り上げるよりも、少額ずつでもこまめに実行していくほうが、総返済額を減らせる。

繰り上げ返済は選び方で効果が違ってくる

ローンの条件　借入額3000万円／返済期間35年／金利1.8%（全期間固定金利型）

期間短縮型と返済額軽減型では、利息の減り方が違う

2023年1月に返済スタート。2033年1月に100万円を繰り上げ返済する場合※

繰り上げ返済前　毎月返済額9万6327円　完済までの利息　約1046万円

↓

期間短縮型を選ぶと	完済までの利息は約**55万円**減	返済額軽減型を選ぶと	完済までの利息は約**24万円**減

期間短縮型のほうが約31万円おトク！

※元利均等返済で試算

10年後と20年後では、利息と返済期間の減り方が違う

2023年1月に返済がスタート。100万円を期間短縮型で繰り上げ返済する場合※

繰り上げ返済前　毎月返済額9万6327円　完済までの利息　約1046万円

↓

10年後の2032年1月に繰り上げ返済すると	返済期間は**16カ月**短縮	20年後の2042年1月に繰り上げ返済すると	返済期間は**13カ月**短縮
	完済までの利息は約**57万円**減		完済までの利息は約**32万円**減

10年後に早く繰り上げ返済したほうが返済期間は3カ月分、利息は約25万円おトク！

※元利均等返済で試算

銀行の住宅ローンの繰り上げ返済の手続き

KEYWORD

窓口で繰り上げ返済を申し出る方法の他、電話やインターネットでできる銀行も多い。手続き方法や実行日の何日前までに申し出が必要かなど銀行によって違うので、事前に確認しておこう。

Question 52
繰り上げ返済について
他に知っておくべきことは？

**金融機関やローンによって
手数料の有無や金額が違います**

　まず、繰り上げ返済には手数料がかかる場合があります。いくらかかるか、どんなケースにかかるかは金融機関やローン商品によっていろいろです。手数料無料のところもあれば、数千円から数万円が必要な場合もあります。繰り上げ返済の金額によって手数料の有無や金額が違うこともあります。固定金利の期間中なのか変動金利なのか、手続きが店頭かインターネットかなどでも違ってきます。頻繁に繰り上げ返済をするつもりなら手数料無料かどうかはとても重要なので最初に確認しておきましょう。

　繰り上げ返済ができる金額に下限がある場合も。1万円以上からの金融機関が多いですが、フラット35は窓口では100万円以上、インターネットでは10万円以上からの受け付けです。

　繰り上げ返済は住宅ローンを借りた後のことですが、総返済額に大きくかかわってくることです。安心な資金計画のためにも、あらかじめ確認しておきましょう。

ここが大切

繰り上げ返済は、金融機関やローン商品によって手数料がかかる場合がある。手数料の有無や金額は、金利タイプ、手続きの方法、繰り上げ返済額などによって違ってくるので注意。

同じ銀行の同じ住宅ローンでも、条件（その銀行に給与振り込み口座を開設する、キャッシュカードにクレジット機能を付けるなど）をクリアしていると繰り上げ返済手数料が無料の場合も。

住宅金融支援機構の財形住宅融資で元利均等返済利用の場合、インターネットで期間短縮型の繰り上げ返済はできない。期間短縮を希望するなら金融機関の窓口で100万円以上からの受け付けになる。

繰り上げ返済をする前に知っておきたいイロイロ

繰り上げ返済手数料に注意

手数料は金融機関やローン商品によって無料〜数万円の差がある。積極的に繰り上げ返済をする予定なら、手数料がかからない、または安いところを検討しよう

受け付け金額の下限に注意

1万円以上から繰り上げ返済を受け付けるケースが多いが、フラット35・財形住宅融資のように窓口では100万円以上から受け付けというところも

貯金をすべて繰り上げ返済にまわさない

住宅ローンを早く終わらせようと繰り上げ返済をしすぎて、手元に貯金ゼロ、というのも不安なもの。万が一の出費や、子どもの教育費など、生活に必要な貯金が足りないということのないように、ある程度のまとまったお金は残しておこう

冬のボーナスで繰り上げ返済をするとき

年末のローン残高の1%が所得税や住民税から控除される住宅ローン減税。ローン残高が多いほうが控除額が大きくなる。冬のボーナスを繰り上げ返済にまわすなら、年末にするよりも、1月に実行したほうがトクになる場合がある

返済額軽減型のない金融機関も

返済額を減らすタイプの繰り上げ返済ができない住宅ローンもある。借入先を決める前に繰り上げ返済の条件を必ず確認しておこう

低金利時代はローン減税を活用

期間短縮型の繰り上げ返済は返済期間の残りに注意。住宅ローン減税期間より短くなると　適用されなくなる。また、住宅ローン減税は年末ローン残高が多いほうが節税額が大きい。低金利の今は、減税期間中の利息より節税額を多くできる可能性が高いので、ローン減税を優先し、減税期間終了後に繰り上げ返済をするほうがおトクな場合も

第4章

住宅ローンの基礎知識

KEYWORD

繰り上げ返済手数料

手数料は無料から数万円まで幅広い。変動金利期間中より固定金利期間中のほうが高かったり、一部繰り上げ返済は無料でも一括繰り上げ返済は手数料がかかったりなどさまざまだ。

column

融資の審査で銀行が重視するのは
年齢、健康状態など

　フラット35や財形住宅融資などの公的融資は、条件をクリアしていれば窓口の金融機関にどこを選んでも融資が受けられます。でも、銀行など民間の住宅ローンの場合、審査基準は金融機関が独自に設定していて、詳細は明らかにされていません。ですから、どんな項目をクリアしていれば希望通りの金額や返済期間で借りられるのかは、審査を受けてみなければ分からない、ということになります。そこで参考にしたいのが、国土交通省が毎年行っている調査です（下グラフ）。調査からは多くの民間金融機関が、融資の審査をするときに考慮しているのは年齢や健康状態、年収、勤続年数、そして返済負担率などに関することだと分かります。一方、雇用先の規模や所有資産、性別については、一般的には重要視されない傾向にあるようです。

民間住宅ローンの融資で考慮されている項目

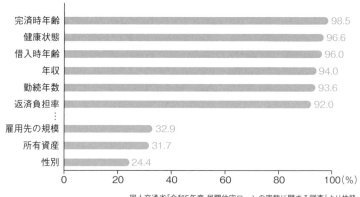

国土交通省『令和5年度 民間住宅ローンの実態に関する調査』より抜粋

今後の家計の変化から考える

自分に合った
住宅ローンの
借り方・返し方

長期間、安心して返済できる住宅ローンの借り方・返し方は、
それぞれの家計の事情によって違ってきます。ここでは、現在
の家計状況を把握したうえで、将来の支出・収入の変化を予測。
タイプ別に知っておきたい資金計画のルールをご紹介します。
自分自身が借り方・返し方を決めるときの参考にしてください。

Question 53 家づくりの資金計画は まず何から始めればいいの？

家計の収支を把握するため 家計簿をつけてみましょう

「住宅ローン返済が始まってみたら生活費が足りなくて家計が苦しい！」ということのないよう、まずは家計簿をつけて毎月、何にいくら支払っているのか、家計状況を把握しましょう。一定期間、家計簿をつけてみることで、今、住宅費にいくらかかっているか、無駄遣いがないかがわかります。右頁の表に、毎月の平均を1000円単位でかまわないので記入し、「住まいにかけているお金」がいくらかをチェック。家を建てた後の、住宅ローン返済や税金、将来のリフォームのための積み立てが、この金額内に納まれば、住宅ローンの返済が始まっても今の生活水準を保てます。ただし、教育費や帰省費用、車の買い換え費用など大型出費が予測されるなら、その資金を確保できるかの確認を忘れずに。他にも自己資金をいくら用意できそうかを把握することも大切です。今ある預貯金、解約や換金が可能な保険など試算をリストアップ。15頁の「わが家の資産チェック表」に書き込んでみましょう。

ここが大切！

現在払っている家賃は、住宅ローン返済額を決めるうえでの目安になる。ただし、住宅新築後は税金やメンテナンス費用がかかることを忘れずに。また、この機会に生命保険の見直しもしておこう。

現在、社宅などで住宅費がほとんどかかっていない場合は「ローンを返済しているつもり」で貯金額を増やす生活を数カ月程度試してみよう。頭金のための貯金も増やせるし、一石二鳥だ。

自己資金の金額を把握するため、預貯金などの資産をリストアップしておこう。その合計金額から、今後使う予定のあるお金や万が一の備えを引いたものが住宅取得のために使える金額になる。

わが家の出費の内容と金額を確認しておこう

毎月の出費				
住まいにかけているお金	家賃	万	円	
	共益費・駐車場代	万	円	
	家を買うための預貯金	万	円	
基本生活費	食費	万	円	
	水道・光熱費	万	円	
	日用品代	万	円	
	被服費	万	円	
	理・美容費	万	円	
	医療・保健費	万	円	合計
	教育費	万	円	
	交通費	万	円	万　　　円
	教養・娯楽費	万	円	
	電話代・インターネット代	万	円	
保険料	生命保険	万	円	
	医療保険	万	円	
	子どものための保険	万	円	
	損害保険	万	円	
積み立てるお金 (家を買うための預貯金以外)		万	円	
その他(こづかいなど)		万	円	

毎月ではないけれど、出費が予定されているもの				
税金や車検代、帰省費用などを書き出しておこう				
万	円		万	円
万	円		万	円

KEYWORD

家計状況の把握

家計の収支を把握することで、使途不明金をなくし、貯蓄にまわせる金額を明確にすることができる。家計状況を把握したら、必ず貯蓄をし、その貯蓄を使う時期や使い道に合わせて無理なく運用することが大切だ。

Question 54 固定金利型と変動金利型 金利の動きで返済額はどう違う?

変動金利型で借りるなら
今の家計でもゆとりのある返済額に抑えましょう

　どの金利タイプで借りても利息の負担は少なく抑えることができる超低金利時代が続いています。なかでも変動金利型は金利1％未満での借り入れが可能。右頁の試算では固定金利型と変動金利型では、毎月返済額に1万円以上の差があります。

　しかし気をつけたいのは、変動金利型は金利が「変動」するという点。35年という長期の返済期間中、金利が変動しないという仮定は現実的ではありません。金利は今後、下がるよりも上がる可能性のほうが高いといえます。右頁の試算では、6年目に金利が1％上昇していれば毎月返済額は約1万円増。1.5％上昇していれば2万円近く増え、固定金利型で借りた場合の返済額を超えてしまいます。変動金利型で借りる場合、金利の低い今の毎月返済額で家計がギリギリになると、将来、金利が上昇した際に、住宅ローンが家計を圧迫することに。返済額が増えても大丈夫なように、ゆとりのある返済額にとどめておきましょう。

ここが大切!

一般的に、無理のない年間総返済額は年収の25％が上限といわれる。ただし、年間総返済額は住宅ローン以外の返済も含めた「総返済額」で、年収は「手取り年収」で考えるようにするのが無難だ。

返済スタート時には余裕があっても、完済までの間にはリフォーム費用や子どもの教育費、車の購入費などさまざまな出費で家計が圧迫されるケースは多い。将来、必ずかかる費用を見積もっておこう。

金利が上昇したら固定金利型に借り換えればいいと思うのは危険。変動金利が上がりそうな頃には、すでに固定金利は上昇し始めているのが通常。変動金利から、より低い金利への借り換えは難しい。

金利が上昇した場合の変動金利型の返済額を見てみよう

固定金利型で借りた場合と、変動金利型で借りた場合の毎月返済額を比較

ローンの条件	借入額：3000万円／返済期間：35年／返済方法：ボーナス返済なし、元利均等返済

＜固定金利型の場合＞　金利が変わらないので完済までの毎月返済額は一定

金利1.5%のまま	毎月返済額は9万1855円

＜変動金利型の場合＞　固定金利型より低金利なので当初の毎月返済額は少ない

金利0.5%のまま	毎月返済額は7万7875円
金利0.5%から 6年目に金利1.0%に	6年目以降の毎月返済額は8万3719円 当初5年間よりも**5844円**アップ！
金利0.5%から 6年目に金利1.5%に	6年目以降の毎月返済額は8万9830円 当初5年間よりも**1万1955円**アップ！
金利0.5%から 6年目に金利2.0%に	6年目以降の毎月返済額は9万6207円 当初5年間よりも**1万8332円**アップ！

住宅ローンの変動金利型に影響するのは日銀が直接的に操作しているといえる短期金利（満期までが1年以内の金利）。基本的には、景気がよくなれば日銀は利上げをし、住宅ローンの変動金利も上昇すると覚えておきましょう。

第5章

自分に合った住宅
ローンの借り方・返し方

金利動向

KEYWORD

固定金利は上昇傾向。フラット35の最多金利は2023年1月1.68%から1年後の2024年1月には1.87%に上昇。民間の変動金利との差が開いている。世界情勢も金利に影響するのでニュースなどをチェックしたい。

Question 55 総返済額を少なくするには できるだけ短期返済がいい？

**総返済額だけで考えれば
短期返済のほうがおトクになる**

　住宅ローンは多くの場合、数十年という長期間で返済していきます。返済が続く間、元金に対して利息がかかるため、返済期間が長ければ長いほど完済までに払う利息は多くなります。

　右頁の表を見てみましょう。金利1.8％の全期間固定金利型で3000万円を借りた場合、返済期間35年なら総返済額は約4046万円。返済期間が15年なら総返済額は約3426万円。借入額は同じなのに、総返済額は約620万円の差があります。これが利息の差です。利息を考えれば返済期間が短いほうがおトクです。しかし、返済期間35年なら毎月返済額は約9万6000円ですんでいたのに、返済期間15年では約19万円にもなります。また、所得税や住民税が節税できる住宅ローン減税は、返済期間が10年以上あることが条件ですから、返済期間がすぐに10年を切ってしまう返済期間ではローン減税のメリットが得られません。総返済額以外についても考えておくことが大切です。

ここが大切！

全期間固定金利型の【フラット35】の返済期間は35年以内。ただし、【フラット50】は50年が最長。申し込み時に44歳未満（親子リレー返済を利用する場合は44歳以上可）の人が利用可能だ。

【フラット50】を利用するには、長期優良住宅であることが必要なほか、融資限度額は物件価格の9割。なお、返済中に売却する場合、購入者がフラット50の債務を引き継げる金利引継特約がある。

民間の住宅ローンの場合、保証料が必要なケースが多くあります。支払い方法は一括前払い、または金利上乗せが一般的ですが、どちらの支払い方法でも返済期間が長いほど、保証料は多くなる。

全期間固定金利型で借りた場合の、返済期間別の総返済額を比較

ローンの条件	借入額：3000万円／金利：1.8%（全期間固定金利型） 返済方法：ボーナス返済なし、元利均等返済

返済期間	毎月返済額	総返済額	返済期間35年との差
35年	9万6327円	約4046万円	－
30年	10万7909円	約3885万円	－約161万円
25年	12万4255円	約3728万円	－約318万円
20年	14万8939円	約3575万円	－約471万円
15年	19万302円	約3426万円	－約620万円

利息は少なくしたいけど毎月返済に無理がないようにしなくちゃ

返済期間が短い方が利息の支払いが少なくなるね

短期返済のほうは総返済額は減らせるけれど、残りの返済期間が10年を切った場合、住宅ローン減税（198頁）の適用対象外になることに注意しましょう

KEYWORD

住宅ローンの最長返済期間

住宅ローンの最長返済期間は35年の場合がほとんど。ただし、完済時年齢が80〜85歳に設定されているため、40代半ばを超えてから借り入れをする場合は35年よりも短い期間でしか借りられない。

Question 56
返済期間を
最長にするメリットはある？

住宅ローン減税の恩恵を受けたあと
繰り上げ返済で利息を減らす方法も

　返済期間を長くするほど、毎月の返済額を抑えることができます。その結果、家計に余裕が生まれるのであれば、教育費や老後資金の準備を同時に進めたり、貯蓄を多めにして住宅ローンの繰り上げ返済にまわしたり等がしやすいでしょう。また、住宅ローンの負担が小さければ、一時的に収入が減ることになっても乗り切れる可能性が高くなります。

　年末ローン残高に応じて所得税が返ってくる住宅ローン減税（198頁）は、元金が多いほど効果が大きくなります。右頁のように、返済期間が長いほうが、年末ローン残高が多いため、控除額が大きくなるのです。ただし、返済期間が長いと支払い利息は多く、トータルで考えると必ずしもトクとはいえません。そこで、最長返済期間で借りて住宅ローン減税期間中はローン残高を多くしておき、減税期間終了後に繰り上げ返済で期間短縮すれば、節税と利息減の二つのメリットを得られることになります。

ここが大切！

住宅ローン減税は最長13年間、年末ローン残高の0.7%が所得税から控除される。年末ローン残高の上限は住宅の質等で異なる。返済期間10年以上のローンを利用していることなどが条件。

住宅ローン減税の控除額が、納めた所得税から控除しきれなかった分は、翌年の住民税からも控除される。ただし、所得税の課税総所得金額等の5%または9万7500円のいずれか少ない額が上限。

返済期間の設定は、無理なく返していける借入額をもとに決めること。返済額を減らすためや、住宅ローン減税でトクするために、定年退職後も返済が続く長期返済にするのは避けるようにしよう。

返済期間 35 年と 20 年。住宅ローン減税の控除額が違う

住宅ローン減税の最大控除額を返済期間 35 年と 20 年で比較

ローンの条件	借入額：3000 万円／金利：1.8％（全期間固定金利型） 返済方法：ボーナス返済なし、元利均等返済 返済開始年月：2023 年 2 月　入居年：2023 年

■返済期間35年
毎月返済額：9万6327円

2023年・年末ローン残高
2944万円

住宅ローン減税の控除額
約**20万6000円**

完済までの利息額
約**1046万円**

■返済期間20年
毎月返済額：14万8939円

2023年・年末ローン残高
2885万円

住宅ローン減税の控除額
約**20万1000円**

完済までの利息額
約**575万円**

・返済期間が長いほうが年末ローン残高が多いため
　控除額が大きくなる（ただし、所得税額によって実際の控除額は異なる）
・返済期間が短いほうが完済までの利息額が少ない

最長返済期間で借りておき、住宅ローン減税期間が終了したら
繰り上げ返済などで返済期間を短縮すると
節税と利息減の両方のメリットが得られる

実質マイナス金利

KEYWORD

金利 0.7％未満の住宅ローンを借りた場合、住宅ローン減税の期間中は、
支払う利息よりも、納めた所得税額等によってはその期間内に控除される
税額のほうが多くなる実質マイナス金利の状態になる。

Question 57

保証料の支払い方で
毎月返済額が違ってくる？

支払い方法が外枠方式と内枠方式かで
保証料の金額が違ってきます

　保証料（90頁）の支払い方法には主に「外枠方式」と「内枠方式」があります。外枠方式は保証料全額を一括前払いし、内枠方式は金利に上乗せすることで毎月返済額と一緒に支払います。

　外枠方式の場合の金額は、保証会社や借入期間、借入額、審査結果によって違ってきます。メガバンクの場合、借入額3000万円、返済期間35年なら保証料は約60万円が目安です。

　内枠方式の場合、住宅ローン金利に0.2％程度が上乗せされるケースが一般的。借入額3000万円、返済期間35年なら約128万円になります。

　内枠方式は返済期間を短くすれば、保証料は少なくなりますが、それでも外枠方式で支払ったほうが保証料は少なくなるのが一般的。多くの金融機関では外枠方式、内枠方式のどちらかを選ぶことができるので、それぞれのメリットやデメリットを理解したうえで自分に合う支払い方法を選ぶといいでしょう。

ここが大切！

外枠方式のメリットは、内枠方式に比べて保証料の総額が少なくなるケースが多いこと。ただし、住宅ローン契約時に、数十万円～のまとまった現金が必要になる点がデメリットといえるだろう。

内枠方式のメリットは、住宅ローン契約時に諸費用を少なくできること。ただし、外枠方式に比べて保証料の総額が大きくなるケースが多い。しっかり自己資金を用意しておくことがおすすめだ。

ネット銀行などで保証料無料の場合、ローンを借りる人の返済能力が重視される。そのため、必要な年収基準が高く設定されているなど審査が厳しい傾向がある。借入先を選ぶ際には注意が必要だ。

保証料の支払い方法によって違う毎月返済額・総支払額

外枠方式と内枠方式の場合の毎月返済額を比較

ローンの条件	借入額：3000万円／金利：1.8%（全期間固定金利型）／返済期間：35年 返済方法：ボーナス返済なし、元利均等返済

毎月返済額

外枠方式(一括前払い)	9万6327円
内枠方式(金利0.2%上乗せ)	9万9378円

外枠方式のほうが、毎月返済額は**3051**円少ない

完済までの総支払い額

	外枠方式	内枠方式
一括前払い保証料額	約**62**万円 ※金融機関によって異なるため概算	―
上乗せ金利	―	**0.2**%（約**128**万円）
総返済額＋保証料額	約**4108**万円	約**4174**万円

外枠方式のほうが、総支払額は約**66**万円少ない

第5章

自分に合った住宅
ローンの借り方・返し方

KEYWORD

保証料無料の住宅ローン

フラット35は住宅ローン債権を証券化することで機関投資家から資金を調達。リスクは機関投資家が負うため保証会社を利用せずに借り入れができる。そのほか、ネット銀行など保証料無料の銀行も増えている。

Question

58

諸費用分も借り入れたら
返済額はどう変わる？

諸費用分も住宅ローンに含めて
借りられるケースは注意が必要

　かつては「住宅の価格または建築費用の80〜90%」を住宅ローンの融資限度額の条件にしている金融機関がほとんどでした。しかし、今は住宅価格や住宅＋土地価格の100%を借りられるのが一般的。おかげで、頭金を用意しなくても住宅ローンが借りられるようになっています。さらに、金融機関によって、また借りる人の返済能力によっては諸費用分も含めて借りることも可能です。フラット35を利用して注文住宅を建てる場合も、建築確認申請費用や土地を購入する際の仲介手数料、住宅ローンの融資手数料、火災保険料、地震保険料など幅広い諸費用項目が融資の対象となっています（右頁）。

　諸費用分も含めて借り入れをすると、毎月返済額が増えることになるので、無理なく返していけるか検討が必要。また、住宅の価値以上の借り入れをすることになるため、返済が苦しくなった際に売却が難しくなることを覚えておきましょう。

ここが大切！

住宅の価値よりも借入額が大きいオーバーローン状態。売却したくなっても、売却価格がローン残高よりも少ない場合、差額を現金で埋めなければ金融機関が設定している抵当権が外せず売却が難しい。

諸費用分も含めて借りる場合、返済に無理がなければ、自己資金が少なくても家を建てられる。自己資金を貯めているうちに金利が上昇してしまう、というリスクを回避できる点はメリットといえそう。

諸費用分も借りると、住宅ローンの年末残高が多くなるため、住宅ローン減税の控除額が多くなる。所得税の納税額が多く、返済額にゆとりがある人にとってはメリットになるといえるだろう。

諸費用分も借りた場合の毎月返済額・総返済額

外枠方式と内枠方式の場合の毎月返済額を比較

> ローンの条件　2023年5月の【フラット35】最多金利（全期間固定金利型）
> 返済期間：35年
> 返済方法：ボーナス返済なし、元利均等返済

■建築費＋土地代4500万円、諸費用500万円の注文住宅。借り方による返済額の違い

借入額	3000万円 自己資金を2000万円 用意した場合	4500万円 自己資金を500万円 用意した場合	5000万円 自己資金を用意 しなかった場合
頭金額	1500万円	0	0
諸費用分の自己資金	500万円	500万円	0
金利	1.83%	1.97%	1.97%
毎月返済額	9万6781円	14万8376円	16万4862円
住宅ローン総返済額	約4065万円	約6232万円	約6925万円
自己資金を含めた総支払額	約6065万円	約6732万円	約6925万円

 同じ価格の家と土地を手に入れたのに、自己資金がないケースでは総支払額が約860万円多くなっています。しかし、注意したいのは総支払額よりも毎月返済額。大きくなる返済額を35年間も払い続けられるか、慎重に考えることが必要でしょう。

■注文住宅を建築する際、【フラット35】の融資対象になる主な諸費用

・建築確認、中間検査、完了検査の申請費用　・土地購入に係る仲介手数料 ・建築確認などに関連する各種申請費用　・融資手数料 ・適合証明検査費用　・金銭消費貸借契約証書に貼付する印紙代 ・住宅性能評価関係費用　・請負契約書、売買契約書に貼付した印紙代 ・長期優良住宅、ZEH、LCCM住宅などの認定　・火災保険料、地震保険料 　関係費用　・登記費用（司法書士報酬、土地家屋調査士報 ・建築物省エネ法に基づく評価、認定に係る費用　　酬、登録免許税）

出典：【フラット35】ホームページより抜粋

第5章　ローンの借り方・返し方　自分に合った住宅

KEYWORD

頭金の有無による適用金利

フラット35や金融機関によっては、住宅価格に対する借入額の割合によって適用金利が異なる。例えば、フラット35では住宅価格の90%超の借入額の場合、一定程度の金利が上乗せされ毎月返済額が増える。

資金
計画

Question
59

完済は定年退職後 それでも35年返済にする？

定年退職前の完済をめざして 返済期間を短く設定するのが理想です

2025年4月から高年齢者雇用安定法の改正によって、60歳まで雇用していた会社の義務になるのが65歳までの継続雇用。住宅ローンも65歳までに完済できるように返済期間を設定するのが理想です。しかし、国土交通省の「令和4年度 住宅市場動向調査」では、注文住宅を建てた世帯の世帯主年齢は平均41.1歳。ボリュームゾーンは30歳代で約4割を占めていますが、35年返済にすると多くの人が完済時年齢が65歳を超えてしまいます。年金が主な収入源になってからも住宅ローン返済が続くのは不安なもの。そこで、住宅ローンを借りるときには、漠然と35年返済を選んだりせずに、下記の3点を検討することをおすすめします。

①当初から返済期間を短くして定年前に完済

②35年返済で借りて、繰り上げ返済で返済期間を短縮

③35年返済で借りて、退職時に一括で返済

以上3点について、この頁の下と、右頁でも解説します。

ここが大切！

①繰り上げ返済をするための貯蓄を続ける自信がない、という人は、65歳までに完済する返済期間を、最初に選択するのがおすすめ。ただし、毎月返済額が家計の負担にならないように注意すること。

②こまめに繰り上げ返済をして返済期間を短くしていく方法もありますが、まとまった資金があるなら、住宅ローンの借入金利よりも利回りのよい金融商品などで運用し、少しでも増やす、という手も。

③退職時に一括で返済できない場合、住宅金融支援機構の「リ・バース60」に借り換えて、退職後の負担を利息返済だけにする方法も。この場合、亡くなったときに家の売却などで、完済することになる。

35年返済で借りると、完済が退職後になる場合

定年退職後、住宅ローン返済が負担にならないよう知っておきたい3つのPoint

> ローンの条件　借入額：3000万円／金利：1.8%（全期間固定金利型）／借入時年齢：35歳
> 返済方法：ボーナス返済なし、元利均等返済

■ ① 借入時に返済期間を短くする

| 35年返済にして70歳で完済 | → | 毎月返済額9万6327円 |

| 30年返済にして65歳で完済 | → | 毎月返済額10万7909円 |

 35年返済で退職後も毎月約9万6000円の返済が続くのは大変。毎月返済額に1万1582円を上乗せして返済できそうなら、30年返済を選択しましょう。

■ ② 繰り上げ返済で返済期間を短くする

| 35年返済で返済スタートの翌年から2年に1度100万円を繰り上げ返済 |

| 5回の繰り上げ返済で返済期間がトータルで6年11カ月短縮し63歳で完済 |

 繰り上げ返済は早めに行うほうが効果があります。また、固定資産税が1/2になる当初3年間または5年間や、住宅ローン減税が受けられる期間は繰り上げ返済資金の貯め時です。

■ ③ 退職時に一括返済する

| 35年返済で30年後、65歳時のローン残高は約562万円 |

| 老後資金とは別に貯めた貯蓄や退職金の一部で完済 |

 将来、自分が退職する頃に「リ・バース60」などのローン商品があるとは限りません。はじめからリバースモーゲージを頼る資金計画は避けましょう。

KEYWORD

リバースモーゲージ

自宅を担保にする融資制度がリバースモーゲージ。「リ・バース60」はそのひとつで、住宅ローンの借り換え資金にも使えるため、返済中でも利用できる。ただし、子どもに資産を残せないなどのデメリットもある。

夫婦で借りるペアローンと
収入合算の違いは？

ペアローンも収入合算も
一人で借りるよりも多く借りられます

　共働きの世帯が多い今、マイホームの資金は夫婦で力を合わせて調達しようと考える人も多いでしょう。その場合、ペアローンや収入合算という方法があります。

　ペアローンとは、ひとつの物件に対して夫婦がそれぞれに住宅ローンを申し込む方法。住宅ローンが2本になるため、単独で申し込むよりも借入額を多くできます。例えば、右頁のように夫の年収が500万円、妻の年収が300万円の場合、夫一人では約3892万円までしか借りられなくても、夫婦それぞれが借り入れをすれば約6227万円まで借りることが可能になります。

　収入合算は、住宅ローンを申し込む人の収入と配偶者の収入を合算した世帯年収をもとに借りられる金額を出す方法。ペアローンと同様、基準となる世帯の年収が増えることで借入可能額が増えます。ペアローンと同様、ひとりでは希望借入額に届かない場合などに利用されます。

ここが大切！

これから結婚する予定の二人が、ペアローンで住宅を取得することも可能。ただし、融資実行前に入籍が必要となるのが一般的。いつまでに入籍すればいいか、借入先の金融機関と早めの打ち合わせを。

収入合算で配偶者が「連帯保証人」になる場合、債務者が返済できなくなったときは、連帯保証人がその返済を肩代わりすることに。将来、仕事を辞める予定なら、連帯保証人になるのは避けたい。

収入合算で配偶者が「連帯債務者」になる場合、夫婦のどちらも債務者としてローンの返済義務を負うことになる。フラット35で収入合算をする場合は、夫婦の連帯債務になることを覚えておこう。

ペアローンで借入可能額はどう違うのかを比較

> ローンの条件　金利：1.8%（全期間固定金利型）／年収：夫500万円、妻300万円
> 返済期間：35年／返済方法：ボーナス返済なし、元利均等返済

	夫一人で借りる場合	夫婦で借りる場合
年収	夫　500万円	夫　500万円＋妻　300万円
夫と妻それぞれの借入可能額※	夫　約3892万円	夫　約3892万円 妻　約2335万円
世帯での借入可能額	約3892万円	約6227万円
世帯での毎月返済額	約12万5000円	約20万円

※借入可能額は年間返済額が年収の30％を上限として算出。実際の借入可能額は金融機関や申し込む人によって異なる

■ペアローンと収入合算の違いをチェック！

	ペアローン	収入合算＜連帯保証型＞	収入合算＜連帯債務型＞
住宅ローンの種類	民間金融機関の住宅ローン	民間金融機関の住宅ローン	【フラット35】 ※民間金融機関ではほとんど扱っていない
契約方法	同じ金融機関で夫と妻がそれぞれ債務者となって、2本の住宅ローンを契約	夫と妻のどちらかが主債務者になって、1本の住宅ローンを契約	夫と妻のどちらかが主債務者になって、1本の住宅ローンを契約
連帯保証／連帯債務	お互いに連帯保証人になる	収入合算者が連帯保証人になる	収入合算者が連帯債務者になる
団体信用生命保険	夫婦それぞれで加入	主債務者のみが加入	【フラット35】では夫婦で加入
事務手数料	2回分	1回分	1回分
住宅ローン減税	夫婦それぞれに適用	主債務者にのみ適用	連帯債務者にも適用

第5章
自分に合った住宅ローンの借り方・返し方

KEYWORD

ペアローンのときの名義

ペアローンで取得した住宅の名義は共有にし、持分比率は負担した金額の比率と合わせること。例えば、同じ金額を負担したのに、持分比率が夫のほうが少ない場合、妻から夫への贈与とみなされ課税対象になる。

Question

61

ペアローンで家を建てると節税効果がある？

住宅ローン減税や売却時の特例が夫婦それぞれで適用になります

　ローンを利用して住宅を取得した場合に所得税などを節税できる住宅ローン減税（198頁）。一人で住宅ローンを借りた場合や、収入合算（連帯保証型）をした場合は、ローンを申し込んだ人（主債務者）だけが対象です。しかし、夫婦それぞれが住宅ローンを借り入れるペアローンの場合、住宅ローン減税が夫婦それぞれに適用されることになります。夫と妻が納めている税額によっては、一人で住宅ローンを借りた場合よりも節税効果が高くなるケースがあります。

　また、ペアローンで物件を共有名義にしていれば、将来、売却したときに、得られた利益のうち3000万円までは課税されない譲渡所得税の特例「3000万円の特別控除」が、夫婦それぞれに適用されるため、二人合わせて最大6000万円まで譲渡所得税が非課税になります。

ここが大切！

自己資金が足りなくても、夫婦で住宅ローンを借りることで予算を増やせるペアローン。夫婦ともに収入が十分にある場合はつい借り過ぎてしまいがち。将来、返済が負担にならないよう注意したい。	住宅ローン減税は年末ローン残高の1%が最大控除額。ただし、所得税額よりも多い金額が控除されるわけではない。税額が少ない場合は、ペアローンにしたから有利にはならないことも。	将来、自宅を買い替えた場合に「3000万円の特別控除」と「住宅ローン減税」は併用できないのが原則なので、注意。どちらが節税効果が高いかはケースバイケースなので、比較して選ぶようにしよう。

4000 万円を借りた場合、住宅ローン減税で控除される税額を試算

ローンの条件	借入額：夫 3000 万円、妻 1000 万円／金利：1.8%（全期間固定金利型） 返済期間：35 年／返済方法：ボーナス返済なし、元利均等返済 返済開始月：1 月 年収：夫 500 万円、妻 300 万円

■ペアローンの場合

	夫	妻
年収	500 万円	300 万円
住宅ローン借入額	3000 万円	1000 万円
所得税額・住民税額（概算）	13.9 万円・13.65 万円	5.6 万円・11.9 万円
入居1年目の年末ローン残高	約 2937 万円	約 979 万円
年末ローン残高の0.7%	約 20.55 万円	約 6.85 万円
1年目の住宅ローン控除額	約 20.55 万円	約 6.85 万円

最大控除額は夫婦で合計約**27万4000円**

■夫が 1 人で借りた場合

	夫
年収	500 万円
住宅ローン借入額	4000 万円
所得税額・住民税額（概算）	13.9 万円・13.65 万円
入居1年目の年末ローン残高	約 3917 万円
年末ローン残高の0.7%	約 27.41 万円
1年目の住宅ローン控除額	約 27.41 万円

ペアローンに
したほうが
節税効果が
大きくなることが
あるのね！

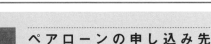

最大控除額は夫のみで約**27万4100円**

第5章

自分に合った住宅
ローンの借り方・返し方

KEYWORD	**ペアローンの申し込み先**
	ペアローンは多くの金融機関で取り扱っているが、家や土地を担保にする関係上、妻も夫も同じ金融機関に申し込むことになる。まずは、どの金融機関にするかを夫婦で話し合うことが大切だ。

Question
62

繰り上げ返済はこまめに？
まとめて？どちらがおトク？

**低金利の今は繰り上げ返済のタイミングで
減らせる利息に大きな差はありません**

　繰り上げ返済は元金が多い時期に実行するほうが、その元金にかかるはずだった利息を消せるため効果が大。金利が高い時期なら、少しずつでも早めに繰り上げ返済していくほうがおトクです。でも今は低金利。こまめに返済した場合とまとめて返済した場合を比べてみても、あまり大きな差は出ません。

　貯蓄が多めにあるなら、こまめに繰り上げ返済をして、少しでも利息でトクをするのもいいでしょう。でも、毎年100万円を繰り上げ返済に充ててしまっても、右頁のように返済期間なら短縮は3カ月、毎月返済額なら軽減は821円です。これくらいのおトク度なら、病気やケガ、収入減などの万が一のときに、「繰り上げ返済をせずに貯蓄を残しておいたほうがよかった」と後悔するかもしれません。繰り上げ返済にどれくらいがんばるかは、家計のゆとり度によって自分で判断するようにしましょう。

ここが大切！

利息軽減効果は期間短縮型のほうが大きい。しかし、将来、収入ダウンや支出アップの可能性があるなら、家計状況をみながら、返済額軽減型の繰り上げ返済をして毎月の負担を減らしておくのもいい。

繰り上げ返済に手数料がかかる住宅ローンの場合、軽減される利息と手数料の差額を考えて繰り上げ返済を実行すること。こまめな繰り上げ返済をする予定なら、手数料無料の住宅ローンが有利。

今はWEBで繰り上げ返済の申し込みができるケースがほとんど。しかし、金融機関によって対応が違うほか、手数料の有無や金額もさまざま。住宅ローン選びの段階で確認しておくことが大切。

こまめに or まとめて、は家計のゆとりを考えて選ぶ

繰り上げ返済を毎年 100 万円を 5 年間と、5 年後に 500 万円のケースを比較

ローンの条件	借入額：3000 万円／金利 1.8%（全期間固定金利型）／返済期間：35 年 返済方法：ボーナス返済なし、元利均等返済

■返済開始 1 年後から 100 万円を 1 年に 1 度繰り上げ返済。トータルで 500 万円を繰り上げ

	繰り上げ返済前	期間短縮型の場合	返済額軽減型の場合
5年後の毎月返済額	9万6327円	9万6327円	7万9163円
完済までの返済期間	35 年	27 年 10 カ月	35 年
完済までの利息金額	1046 万円	713 万円	888 万円

■返済開始から 5 年後に 500 万円をまとめて繰り上げ返済

	繰り上げ返済前	期間短縮型の場合	返済額軽減型の場合
5年後の毎月返済額	9万6327円	9万6327円	7万8342円
完済までの返済期間	35 年	28 年 1 カ月	35 年
完済までの利息金額	1046 万円	741 万円	899 万円

期間短縮型の場合、こまめな繰り上げ返済のほうが返済期間が3カ月短くなる。 返済額軽減型の場合、まとめて繰り上げ返済のほうが毎月返済額が821円少なくなる

繰り上げ返済は早め早めが効果的とはいえ、低金利の今は大きな差にはなりません。自分にとっては、どの方法が安心かを考えるといいでしょう。

自動繰り上げ返済

KEYWORD

住宅ローン返済用口座で指定残高が上回ると、自動的に上回って金額が一部繰り上げ返済にまわされるのが「自動繰り上げ返済」。自分でも気づかないうちに元金が予想以上に減っていた、というケースもある。

Question
63

【フラット35】で元金均等返済を選択するメリットはある？

当初の返済に無理がなければ
徐々に返済負担が軽くなっていきます

　同じ金額、同じ金利でも元金均等返済は元利均等返済よりも返済スタート当初の毎月返済額が多くなります。しかし、完済までの利息は少ないので、当初の返済に無理がないなら「元金均等返済」を選択するのもいいでしょう。

　元金均等返済（140頁）は、返済が進むにつれて少しずつ毎月返済額が減っていきます。将来、支出アップや収入ダウンがあったとき、少しでも住宅ローンの負担が少ない状態になっていれば、家計への痛手も軽く済むかもしれません。

　注意したいのは、元金均等返済はどの金融機関でも扱っているわけではないこと。自分が利用しようとしている金融機関が扱っているかどうか、または、元金均等返済の利用を優先するならどの金融機関がいいかを早めに調べておく必要があります。

ここが大切！

元金均等返済は徐々に返済額が減っていく返済方法。元利均等返済に比べて完済までにかかる利息は少ないが、当初の返済額が大きくなるので、返済に無理がないかどうかに気をつけたい。

早期に繰り上げ返済をした場合、元利均等返済にしておいたほうが、軽減できる利息の額が多かったり、毎月返済額を少なくできたりすることもある。繰り上げ返済を予定している場合は注意しよう。

元金均等返済が使えるのは「フラット35」や「財形住宅融資」。銀行などの民間金融機関では、元金均等返済を利用できないところも多い。借入先を選ぶときには、早めに確認しておくといいだろう。

3000万円を元金均等返済で返す場合

ローンの条件	借入額：3000万円／金利：1.8%（全期間固定金利型）／返済期間：35年 返済方法：ボーナス返済なし、元金均等返済

■返済が進むにつれて、毎月返済額はいくらくらい減るかを知っておこう

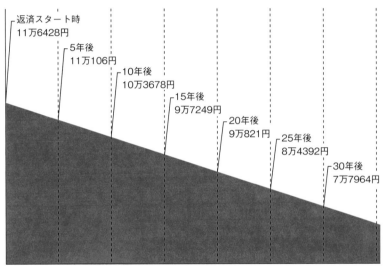

返済スタート時
11万6428円

5年後
11万106円

10年後
10万3678円

15年後
9万7249円

20年後
9万821円

25年後
8万4392円

30年後
7万7964円

返済期間

最初にがんばると
だんだんラクになるね

第5章
自分に合った住宅
ローンの借り方・返し方

KEYWORD

元金均等返済と家計のバランス

3000万円を金利1.8%、35年返済、元利均等返済で借りると、毎月返済額は9万6327円。元金均等返済のほうが少なくなるのは約16年後だ。当初5〜10年間に支出が多くなりそうなら元利均等返済のほうが安心だ。

Question
64

住宅ローン減税期間中に
繰り上げ返済をするのはおトク？

住宅ローンの金利によって
繰り上げ返済のほうがトクかは異なる

　住宅ローン減税の期間中は、元金が多いほうが控除額が多くなります。そのため、繰り上げ返済をするなら、住宅ローン減税の期間が終わってからのほうがよいと考える人も多いでしょう。そこで、右頁で返済スタートから6年目、または14年目に繰り上げ返済をした場合の、試算を見てみましょう。たしかに、金利1.8%の場合は住宅ローン減税期間であっても、早めに繰り上げ返済をしたほうが減税と利息減を合わせた効果があります。しかし、金利0.5%の場合は減税期間後に繰り上げ返済をしたほうが効果が高くなっています。ポイントは住宅ローン金利が0.7%以上かどうか。0.7%以上なら、減税額を上回る利息を支払うことになるため、減税期間中も繰り上げ返済をしたほうがトクになるのです。なお、納めている所得税、住民税の税額によっては、金利0.7%未満でも減税期間中に繰り上げ返済をしたほうがトクになる場合があります。

ここが大切！

住宅ローン減税期間中の繰り上げ返済がトクになるかは、住宅ローンの金利と納めている住民税・所得税次第。金融機関に繰り上げ返済をすると、利息がいくら減らせるかを確認して比較してみよう。

繰り上げ返済をしないほうがいいケースもある。教育費や老後資金、親の介護費用の準備が必要な人や、転職を考えていて収入減の可能性がある人などは、手もと資金を減らしすぎないことが大切。

万が一のための貯蓄も、利息を減らすための繰り上げ返済も、どちらも両立したいなら、まずは生活費の半年～1年分程度の金額を貯蓄。この金額を超えた分を繰り上げ返済の費用にまわすのがいいだろう。

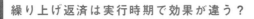

繰り上げ返済は実行時期で効果が違う？

住宅ローン減税期間中に繰り上げ返済を実行。金利別の効果を比較

ローンの条件	借入額：3000万円／返済期間：35年 返済方法：ボーナス返済なし、元利均等返済 返済開始・入居時期：2023年1月 ※ローン契約時期2022年12月。減税期間13年とする

■ローン返済スタートから6年目、または14年目に繰り上げ返済（期間短縮型）を実行

＜金利1.8％・繰り上げ返済額500万円＞

繰り上げ返済の 実行時期	総返済額	軽減された利息	住宅ローン減税 最大控除額	減税と利息減を 合わせた効果
繰り上げしない	4046万円	0円	230万円	230万円
6年目の1月	3742万円	304万円	200万円	504万円
14年目の1月	3856万円	190万円	230万円	420万円

 住宅ローン減税期間中の返済6年目に繰り上げ返済すると、住宅ローン減税の控除額は30万円少なくなるが、利息が304万円も軽減され504万円の効果があります。しかし、14年目に繰り上げ返済をした場合は、効果は約420万円に減ってしまいます。

＜金利0.5％・繰り上げ返済額500万円＞

繰り上げ返済の 実行時期	総返済額	軽減された利息	住宅ローン減税 最大控除額	減税と利息減を 合わせた効果
繰り上げしない	3271万円	0円	221万円	221万円
6年目の1月	3199万円	71万円	193万円	264万円
14年目の1月	3224万円	47万円	221万円	268万円

 このケースでは、住宅ローン減税期間中に繰り上げ返済をするよりも、減税期間が終わってすぐに繰り上げ返済をしたほうが、減税と利息減の効果は4万円多く得られます。

繰り上げ返済と保証料

KEYWORD

住宅ローンを契約する際に、保証料を一括前払いしている場合は、繰り上げ返済をすることで保証料の一部が戻ってくることがある。ただし、残りの返済期間、元金の金額などで保証会社の対応は異なる。

Question
65

前の家が売れないときは？
住み替えローンって何？

前の家を売却しても
住宅ローンが完済できないときに利用可能

　住宅ローン返済中の今の家を売却して、次の家の資金にする場合、問題なのは売却でローンが完済できるかどうか。ローンが完済できなければ抵当権抹消ができず、今の家を売ることも、新たな住宅ローンの借り入れも難しくなります。

　この場合に利用可能なのが住み替えローン。前の家の住宅ローンの残債（担保割れ分）と、新居を取得するための費用、買い替えにかかる諸費用まで借りられるものです。借り入れで残債を一括返済し、抵当権を抹消することで買い替えが可能になるのです。

　住み替えローンは前の家が思うような金額で売れなくても買い替えができる、預貯金を減らさずに済むというメリットがある一方、右頁のように前の家の残債を含めた借り入れなので、返済額が大きくなるというデメリットがあります。また、融資の審査が厳しくなるため、誰でも利用できるとは限りません。住み替えローンの利用には慎重な資金計画が必要です。

ここが大切！

住宅ローンは借り入れた本人やその親族が暮らすための家が対象の融資。そのため基本的には、1世帯1軒分の借り入れになる。ダブルでローンを借りようとしても審査や融資条件は厳しくなる。

現在住んでいる家の住宅ローンが完済している場合、所有したまま2軒目を建てることも、売却してその利益を2軒目の建築資金に充てることもできる。また、2軒目も住宅ローン減税の対象になる。

買い替えで注意したいのはローンを申し込む人の年齢や健康、収入などの返済能力。初めて家を取得したときに比べて住宅ローンが借りにくいケースも多いので、資金計画は金融機関に早めに相談を。

住み替えローンの仕組みと返済負担

■住み替えローンの仕組み

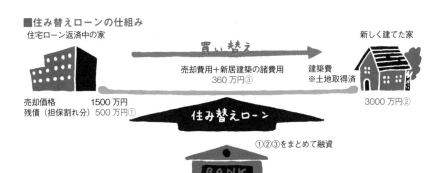

売却で残債がなくなった場合と、住み替えローンを利用した場合の返済負担を比較

ローンの条件	金利：1.8%（全期間固定金利型）／返済期間：35 年 返済方法：ボーナス返済なし、元利均等返済 諸費用：売却諸費用は売却額の 4%、新居建築諸費用は建築費の 10%で試算 前居売却額：1500 万円

	売却で残債がなくなった場合	住み替えローンを利用した場合
借入額	新居建築費 　　　　3000 万円 新居建築諸費用 　　 300 万円 借入額： 　　　合計 3300 万円	前居残債 　　　　　 500 万円 前居売却諸費用 　　　60 万円 新居建築費 　　　　3000 万円 新居建築諸費用 　　 300 万円 借入額： 　　　合計 3860 万円
毎月返済額	10 万 5960 円	12 万 3941 円

第5章
自分に合った住宅
ローンの借り方・返し方

抵当権抹消

KEYWORD

住宅ローン返済中の家は、ローンの残債を完済することで抵当権抹消となる。抵当権が設定されていても売買は可能だが、購入者にとってはいつ競売にかけられるかわからない家は避けるのが一般的だ。

Question
66

返済が負担になってきたら？
滞納前にするべきこと

住宅ローン返済は最長35年間
滞納のリスクは誰にでもあります

　住宅ローンの返済期間は、多くの人が最長の35年間を選んでいます。この35年間には、さまざまな支出増や収入減があります。教育費やリフォーム費、車の買い替えなどあらかじめ想定できるものだけでなく、リストラや転職での収入ダウン、病気やケガなどでの失職など思いがけないことも。それによって、住宅ローン返済が滞る可能性は誰にとってもゼロではありません。

　大切なのは、滞納する前に対策をとること。どういった対策が適しているかはケースバイケースですが、共通しているのは一刻も早く借入先の金融機関に相談することです。金融機関も滞納から競売になるよりも、返済が続いて利息を得られたほうがリスクは低いですから、返済期間の延長や元金据え置きなどの対策を一緒に考えてくれるはずです。フラット35を利用している場合は、住宅金融支援機構の審査に通ることで、さまざまな返済方法の変更が可能で手数料も不要です。

ここが大切！

住宅ローンを滞納すると、1カ月ほどで借入先の銀行から督促状が届く。そのままにしておいたり、返済不可能と判断されたりすると、およそ数カ月後、一括返済を求める「期限の利益損失通知」が届く。

保証会社が金融機関に代位弁済し、競売となった場合、高く落札されれば家の所有権は失うが、残債をなくすことは可能。しかし、残債が残ってしまえば、家を失い、借金だけが残ることになる。

借入時に最長の35年返済を選んでいた場合、さらに返済期間を延ばせるかどうかは、金融機関のルールや本人の返済能力によって判断が異なる。とはいえ、あきらめずに早めに相談することが重要だ。

返済期間延長や元金据え置きで返済額は？

返済スタートから 10 年後。返済条件の変更で返済はどれくらい軽くなる？

> ローンの条件　借入額：3000 万円／金利：1.8%（全期間固定金利型）／返済期間：25 年
> 返済方法：ボーナス返済なし、元利均等返済
> ※借り入れは 10 年前

■ 25 年返済から 35 年返済に条件変更した場合の返済額

そのまま返済し続けた場合	毎月返済額 12万4255円

返済スタートから 11 年目、残高約 1950 万円。
返済が苦しいので 35 年返済に延長

11年目以降の25年間は	毎月返済額約8万円に

毎月返済額は減りますが、支払い利息が増える分、総返済額は増えます。また、完済時年齢も遅くなりますから、いつまで返済が続けられそうかも考えて延長する期間を設定しましょう。

■ 2 年間元金据え置きにした場合の返済額

そのまま返済し続けた場合	毎月返済額 12万4255円

返済スタートから 11 年目、残高約 1950 万円。
返済が苦しいので 2 年間、元金据え置きに

| 11〜12年目の2年間は | 毎月返済額2万9250円 |
| 13年目以降は | 毎月返済額約14万円 |

返済が苦しいのが一時的なものとわかっているなら元金据え置きで、利息のみを返していく方法も有効です。ただし、元金据え置き期間終了後は毎月返済が増える、または返済期間が延びることに注意しましょう。

■毎月返済額を減らすその他の方法

返済中の金利が高いなら ▽ 低金利のローンに借り換える	今の家が高く売れそうなら ▽ 価格の低い家に買い替える	親の援助が受けられるなら ▽ 繰り上げ返済で返済額を下げる

第5章

自分に合った住宅
ローンの借り方・返し方

将来の金利アップに備えた、固定金利型への借り換えは有効？

固定金利型へ借り換えた場合と変動金利型のままの場合の返済額を比較

ローンの条件	借入額：3000万円／金利：0.5％（変動金利型）／返済期間：35年 返済方法：ボーナス返済なし、元利均等返済

返済スタート時の毎月返済額	7万7875円

【固定金利型に借り換え】

11年目以降の毎月返済額を固定させるために借り換えを実行

金利1.5％に借り換えた場合		
11年目以降	毎月返済額8万7814円	総返済額3569万円

金利2.5％に借り換えた場合		
11年目以降	毎月返済額9万8503円	総返済額3890万円

金利3.5％に借り換えた場合		
11年目以降	毎月返済額10万9923円	総返済額4233万円

金利4.5％に借り換えた場合		
11年目以降	毎月返済額12万2045円	総返済額4596万円

【変動金利型のまま】

5年毎に金利が0.5％上昇した場合	
1〜 5年目　金利0.5％	毎月返済額　7万7875円
6〜10年目　金利1.0％	毎月返済額　8万3719円
11〜15年目　金利1.5％	毎月返済額　8万8842円
16〜20年目　金利2.0％	毎月返済額　9万3139円
21〜35年目　金利2.5％	毎月返済額　9万6508円
	総返済額　　**3799万円**

5年毎に金利が1.0％上昇した場合	
1〜 5年目　金利0.5％	毎月返済額　7万7875円
6〜10年目　金利1.5％	毎月返済額　8万9830円
11〜15年目　金利2.5％	毎月返済額　10万765円
16〜20年目　金利3.5％	毎月返済額　11万283円
21〜35年目　金利4.5％	毎月返済額11万8014円
	総返済額　　**4397万円**

将来の金利上昇が不安になって固定金利型に借り換えた場合、金利動向によっては「変動金利型のままのほうが総返済額は少なくてすんだ」という可能性もあります。どちらがトクかは完済までわかりません。返済額が変わらない安心を優先するなら固定金利型に借り換えするのは有効ですが、総返済額では不利になる可能性があることを覚えておきましょう。

■【フラット 35】の返済方法の変更例

離職や病気などで 収入がダウン ▽ 返済期間の延長	教育費増などで支出が増え 今の返済が厳しい ▽ 一定期間、返済額を軽減	ボーナスが減って ボーナス月の返済が厳しい ▽ ボーナス返済の見直し

 返済方法の変更は、同時に組み合わせることができます。返済が苦しくなりそうだったら、早めに窓口の記入機関に相談しましょう。

■返済期間の延長※が適用される条件は？
※最長 15 年、完済時年齢の上限 80 歳

以下の①～③のすべてにあてはまること
①離職（倒産やリストラによる退職や転職など）や病気などで返済が困難

②以下の収入基準のいずれかを満たす人
・年収がフラット 35 の返済額（住宅金融支援機構への返済）の 4 倍以下
・月収が世帯人数× 6 万 4000 円以下
・年間総返済額（フラット 35 のほか民間住宅ローンも含む）の年収に対する割合（返済負担率）
　が下表の基準を超える人で、収入減少割合が 20％以上の人

年収	300万円未満	300万円以上 400万円以下	400万円以上 700万円以下	700万円以上
返済負担率	30%	35%	40%	45%

③返済方法の変更で、今後の返済を継続できる人

 失業中、または収入が 20％以上減少した人は返済期間の延長と最長 3 年の元金据え置きで返済負担を軽くすることができます。

返済条件変更の手数料

KEYWORD

銀行などの住宅ローンの場合、返済条件の変更内容や変更方法によって手数料がかかることがある。手数料にいくらかかりそうか、早めの確認を。フラット 35 の条件変更は手数料はかからない。

第5章

自分に合った住宅
ローンの借り方・返し方

ペアローンと収入合算
利用するなら気をつけたい3つの場面

　夫婦で力を合わせて、家づくりの資金を調達するペアローンや収入合算。予算を増やせる、住宅ローン減税がダブルで受けられるなどがメリットですが、借入額が大きくなりがちな分、リスクもあります。そこで、気をつけたい3つの場面を紹介します。

【1】退職やリストラで収入がダウン

　どちらかが仕事を辞めたり、収入が減ったりした場合でも、住宅ローンの返済は続きます。まず、ペアローンの利用や収入合算をするなら、完済までは共働きを続けることが鉄則。また、リストラやボーナス減による収入ダウンがあっても返済が続けられるよう、万が一のための貯蓄をしておくことが重要です。

【2】離婚で売却、またはどちらかが住み続ける

　離婚した場合、家は売却するか、どちらかが住んでローンの返済を続けることになります。まず、ローンの残債よりも高く売れない家は自己資金をプラスして完済しない限り売却が困難。どちらかが住み続ける場合、別れた配偶者が返済を滞納すると、その分の返済負担が自分の肩にのしかかってきます。連帯保証人の変更や外すことはまず不可能なため、完済まで気が抜けません。完済までは離婚しない覚悟が必要です。

【3】死別した場合

　債務者が死亡した場合、その残債は団体信用生命保険で完済されます。しかし、ペアローンの場合、遺された配偶者の返済は続きます。返済額は変わりませんが、世帯収入が減っているため経済的に苦しくなるケースも。ペアローンを利用する場合、夫婦で生命保険に加入して、どちらかが亡くなったときに二人分のローンが完済できるようにしておくのが安心。収入合算で、ローンの契約者ではない収入合算者が亡くなった場合も、世帯収入減をカバーできるよう生命保険で準備しておくのがいいでしょう。

第 6 章

建ててからのこともきちんと把握

家が完成したあとに
払うお金・もらえるお金

家を建てたことで、また、家を所有していることでかかわってくる税金があります。主にどんな税金があるのかを、きちんと把握しておきましょう。また、住宅ローンを借りて建てた人、親から資金援助を受けた人は、節税につながる制度や現金が給付される制度についても理解しておきましょう。

※税制等の情報は2024年6月現在。今後、制度内容が変更、延長される可能性があります

Question
67

不動産取得税ってどんな税金？申告は必要？

家や土地の取得時に一度だけ課税
不動産の取得後、納税通知書が送られてきます

　家や土地を取得すると納めることになるのが不動産取得税です。取得したときに一度だけ課税されるもので、軽減措置もあります。

　軽減措置は本来、不動産を取得してから60日以内に都道府県税事務所に申告書を提出することになっているのですが、実際は軽減措置を適用した後の税額が記載された納税通知書が送られてきたり、納税通知書が届いてから申告したりする流れになっていることも多いようです。不動産取得税は地方税のため都道府県によって細かな手続きが違うのです。家や土地を取得したときに、申告書提出が必要かどうか、期限はいつまでかなどを都道府県税事務所や住宅会社、不動産会社に確認しましょう。

　なお、不動産取得税は家や土地の購入や新築による取得だけでなく、増築、改築、贈与、交換の場合も課税対象。ただし、相続による取得の場合、相続時精算課税制度を使った贈与や死亡を条件に贈与を約束していた場合以外は、非課税になります。

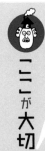

ここが大切！

納税通知書は不動産の所有権移転登記から3カ月〜半年程度で届くケースが多い。ただし、住宅を新築した場合などは評価額の算定作業があるため時間がかかり、送付時期は自治体によって異なる。

土地を先に購入して住宅を新築する場合に、土地の軽減措置を受けるには申告が必要になることがある。都道府県によって対応が違うので、早めに都道府県税事務所や住宅会社、不動産会社に確認を。

軽減措置では、新築住宅は課税標準になる固定資産税評価額から1200万円が控除。宅地は固定資産税評価額を1/2で計算。実績の豊富な住宅会社なら、税額の目安を事前に教えてもらえることも。

不動産取得税はいくらかかる？

＜どうやって計算するの？＞ 不動産取得税の原則的な計算式

| 固定資産税評価額 | × | 税率※1 | = | 不動産取得税額 |

※1 税率は原則4％。土地および住宅は3％（2027年3月31日まで）

＜税額が減らせるのはどんなとき？＞ 不動産取得税の軽減措置
新築の建物の場合

＜軽減の要件＞
- 住宅（マイホーム、セカンドハウス※2、賃貸用マンション［住宅用］）であること
- 課税床面積50㎡以上240㎡以下（一戸建て以外の賃貸住宅は1戸当たり40㎡以上240㎡以下）
- 認定長期優良住宅は控除額が1300万円※3

| 固定資産税評価額－1200万円（控除額） | × | 3％ | = | 軽減された不動産取得税額 |

※2 毎月1日以上、居住用として使用する住宅
※3 2026年3月31日まで

上記建物の要件を満たしている土地の場合

＜軽減の要件＞
- 建物が軽減の要件を満たすこと
- 土地取得から3年以内※4に建物を新築すること（中古は1年以内に建物を取得）
- 住宅を新築後1年以内にその敷地を取得すること

| 固定資産税評価額×1/2×3％ | － | 控除額※5 | = | 軽減された不動産取得税額 |

※4 2026年3月31日まで
※5 控除額は ⓐ または ⓑ のどちらか多いほう
　　ⓐ4万5000円　ⓑ土地1㎡当たりの固定資産税評価額×1/2×家屋の課税床面積×2（200㎡が限度）×3％

KEYWORD

軽減の申告に必要な書類

軽減を受けるためには、不動産取得税の申告書と必要書類を土地や建物を所管する都道府県税事務所に提出する。必要書類は土地や建物の契約書、領収書、全部事項証明書（土地・建物）など。

Question 68

固定資産税と都市計画税ってどんな税金?

家や土地など、不動産を所有していると毎年課税される税金です

　家や土地などの不動産を所有していると毎年納税することになるのが固定資産税と都市計画税です。毎年1月1日時点での所有者に課税されます。

　固定資産税は住宅とその敷地に、都市計画税は住宅用地に対して軽減措置があります。固定資産税の場合、例えば2階建ての新築住宅なら新築後3年間は固定資産税の税額が120㎡の部分まで2分の1になります。土地は住宅1戸につき200㎡までは課税標準が6分の1になります。税金の計算式や軽減措置については右頁にまとめたので参考にしてください。

　軽減を受けるための申告は自治体によっては必要ありません。毎年春頃に、その不動産のある市区町村から納税通知書が送られてきますから、そこに記載されている納税額を確認して不服がなければ、期日までに納めましょう。疑問点がある場合は、不動産のある市区町村役場に問い合わせるといいですね。

ここが大切!

毎年春頃に納税通知書が送られてくる。自治体によって異なるが全額一括納付か、4期での分割納付が一般的。納期は市町村によって異なる場合があるが、4月、7月、12月、翌年2月が一般的だ。

固定資産税・都市計画税がいくらくらいになりそうかは、不動産会社や住宅会社の担当者に尋ねてみると、目安を教えてくれる場合が多い。資金計画を立てるうえでも大切なので早めに聞いておこう。

固定資産税は各自治体が決めた固定資産評価額をもとに税額を計算。新築住宅の固定資産評価は多くの自治体の場合、現地で家屋調査が行われる。なお、土地・家屋の評価額の見直しは3年に一度だ。

固定資産税・都市計画税はいくらかかる？

＜どうやって計算するの？＞

固定資産税の税額

課税標準[1]	✕	1.4%（標準税率[2]）	＝	固定資産税額

都市計画税の税額

課税標準[3]	✕	0.3%（制限税率[4]）	＝	都市計画税額

※1 固定資産税の課税標準とは固定資産税課税台帳に登録されている価額。固定資産税は、この「課税標準」に税率をかけて計算する。課税標準は負担調整の特例で調整されている場合がある
※2・4 各市町村が決定する
※3 都市計画税の課税標準とは固定資産税課税台帳に登録されている価額。都市計画税は、この「課税標準」に税率をかけて計算する

＜固定資産税が軽減されるのはどんなとき？＞

新築住宅[5]

3階建て以上の耐火・準耐火構造の住宅	新築後5年間、固定資産税が1/2に
上記の認定長期優良住宅	新築後7年間、固定資産税が1/2に
一般住宅	新築後3年間、固定資産税が1/2に

※5 2026年3月31日までに新築された場合

新築住宅を建てた土地

住宅1戸につき200㎡まで	課税標準×1/6
200㎡を超えて住宅の床面積の10倍まで	課税標準×1/3

＜都市計画税が軽減されるのはどんなとき？＞

住宅用の土地

住宅1戸につき200㎡まで	課税標準（固定資産税評価額）×1/3
200㎡超の部分	課税標準（固定資産税評価額）×2/3

KEYWORD

負担調整措置

地域や土地によって固定資産税の負担に格差があるのを解消するため、1997年から負担調整措置が導入されている。負担水準の高い土地は負担を抑制、負担水準の低い土地はなだらかに負担を上昇させる仕組みになっている。

第6章

家が完成したあとに払うお金・もらえるお金

197

Question 69
住宅ローン減税って
どんな制度？

住宅ローンを利用して家を取得すると
所得税が戻ってきます

　返済期間10年以上のローンを利用して住宅を取得すると、入居から一定期間は年末ローン残高から、所得税が控除される制度。控除額のほうが多く、所得税から控除しきれきなかった場合は、翌年の住民税からも控除されます。控除対象の年末ローン残高の上限額は住宅の質や入居世帯によって異なり、2024〜2025年入居の場合は3000万円〜5000万円です（201頁）。なお、実際に戻る金額は、その人が納めた所得税・住民税が上限。納めた税額以上の金額が戻ることはありません。

　また、対象になるローンは民間の金融機関や住宅金融支援機構、公務員共済組合などからの借り入れや、地方自治体からの融資です。勤務先からの金利0.2％未満の借り入れや、親戚などからの個人的な借り入れ、役員を務めている会社からの借り入れでは住宅ローン減税は受けられません。

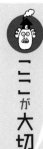

ここが大切！

控除を受けるための主な要件は以下の通り。返済期間10年以上、合計所得金額2000万円以下、住宅の引き渡しまたは工事完了から6カ月以内に入居年末まで引き続き住んでいることなど。

対象となる住宅は床面積50㎡以上。ただし、2023年までに建築確認申請を受けた新築住宅で、合計所得金額1000万円以下の場合は、床面積は40㎡以上。要件について詳しくは税務署へ。

住宅ローン減税の最大控除額や控除率といった条件は、経済情勢などによって変わる。2021年度は消費税10％で取得した家なら控除期間は入居から13年、それ以外は10年。控除率は1％だった。

住宅ローン減税のしくみ

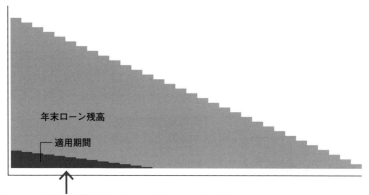

年末ローン残高

適用期間

住宅ローン減税の適用期間、年末ローン残高から一定の割合が所得税・住民税から控除される

| その年の所得税 | ー | 控除額 | ＝ | 戻ってくる所得税額 |

住宅ローン減税を受けるには入居の翌年に確定申告をする必要があります。2年目以降、サラリーマンなどの給与所得者の場合は、勤務先の年末控除で控除が受けられるので、1年目は面倒がらずに申告しましょう。自営業者などは毎年申告が必要です。

KEYWORD

住宅ローン減税の対象額

住宅ローン減税の控除額は年末ローン残高か物件価格のいずれか低いほうの金額に控除率をかけたもの。諸費用を含む借り入れをして借入額が物件額を上回る場合、上回った分については住宅ローン減税の対象にはならない。

Question 70

住宅の種類や世帯の種類で 住宅ローン減税の控除額はどう違う?

住宅の性能や世帯の種類によって 最大控除額が異なります

　ローンを借りて住宅を取得すると、年末ローン残高の0.7%相当額が一定期間、所得税・住民税から控除される住宅ローン減税。実は、控除される税額の上限は、どんな性能の住宅を取得するのかによって異なります。

　住宅の性能は「認定長期優良住宅」「認定低炭素住宅」「ZEH水準省エネ住宅」「省エネ基準適合住宅」に分けられ、最大控除額が右ページ表のように異なります。また、2024年度の税制改正では、子育て世帯や若者夫婦世帯を対象にした制度が追加。住宅ローン減税の対象になる年末ローン残高の上限が、そのほかの世帯よりも多くなります。最大控除額よりも多い所得税や住民税を納めている子育て世帯・若者夫婦世帯にとっては、メリットが大きな改正内容となっています。

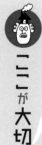

ここが大切!

住宅ローン減税で年末ローン残高の限度額が上乗せになる「子育て世帯」とは、19歳未満の子どもがいる世帯のこと。ただし、子どもは扶養家族となっていること、2024年末までの入居が条件だ。

「若者夫婦世帯」とは、夫婦のどちらかが40歳未満の世帯。「子育て世帯」「若者夫婦世帯」ともに、2024年末日時点（年の中途で亡くなった場合は死亡時）での年齢が該当するかどうかが決まる。

子育て世帯・若者夫婦世帯のローン残高の上乗せについて、2024年度の与党税制改正大綱では、2025年度の税制改正でも同様の方向性で検討するとされている。報道などをチェックしておこう。

2024 ～ 2025 年入居の住宅ローン減税

入居年	2024年・2025年		子育て世帯・若者夫婦世帯の場合※1 2024年	
	ローン残高の上限	最大控除額	ローン残高の上限	最大控除額
長期優良住宅・ 低炭素住宅	4500万円	年間　　31.5万円 全期間 409.5万円	5000万円	年間　　35万円 全期間 455万円
ZEH水準省 エネ住宅	3500万円	年間　　24.5万円 全期間 318.5万円	4500万円	年間　　31.5万円 全期間 409.5万円
省エネ基準適合 住宅	3000万円	年間　　21万円 全期間 273万円	4000万円	年間　　28万円 全期間 364万円
そのほかの住宅	0万円	―※2		

※　控除期間は13年間（そのほかの住宅を除く）
※1　2024年12月31日現在で19歳未満の子を有する世帯、または夫婦のいずれかが40歳未満の世帯
※2　2023年12月31日までに新築の建築確認申請を受けたもの、または2024年6月以前に建築された場合は、ローン残高の上限2000万円、控除期間10年が適用になる

住宅ローン減税の実際の控除額は、納めた税額が上限。所得税額が控除額よりも少ない場合、所得税の課税所得金額等の5%、または9万7500円のどちらか少ない金額の範囲内で、住民税からも控除されます。

確定申告で必要な書類

KEYWORD

認定長期優良住宅やZEH水準省エネ住宅など控除限度額が大きくなる場合は、209頁にまとめた書類以外にも、住宅の引き渡し時に受け取るはずの「長期優良住宅建築等計画の認定通知書の写し」などが必要になる。

Question 71

2022年からの住宅ローン減税 節税効果は減ったの？

控除額が年末ローン残高の 1%から0.7%にダウン

　住宅ローンを借りて家を建てると、所得税や住民税が節税になる住宅ローン減税。とてもうれしい制度ですが、2021年までは1.0%だった控除率が2022年からは0.7%に縮小。例えば、年末ローン残高が3000万円の人は、以前は最大30万円の節税になっていたのに、2022年からは節税効果は最大21万円に。なんだか損をしたようが気持ちなりませんか？

　実は、人によってはあまり影響はないのです。住宅ローン減税では、すべての人に最大控除額が戻ってくるわけではありません。自分が納めた税額が控除額の上限になるからです。例えば、年間の所得税額が14万円でローン残高が2000万円の場合、控除率1%で戻ってくる税額は14万円です。控除率が0.7%に縮小されていも変わらないのです。最大控除額がフルに控除されない人の場合は、控除率が0.7%に縮小されてもダメージはそれほど大きくないと考えられます。

ここが大切！

社会保険料控除や基礎控除、扶養控除などさまざまな所得控除があるため、所得税は年収600万円で20万円程度、年収400万円で10万円程度。住宅ローン減税で全額戻ってくる場合も。

医療費が多くかかった年の医療費控除や、ふるさと納税を上手に使った年の節税効果があると、納めている所得税は少なくなる。住宅ローン減税の控除額が上回る場合は住民税からの控除がある。

2024年6月から1年間の期間限定で実施される所得税と住民税の定額減税。住宅ローン減税で還付される税額が減る可能性もあるが、その場合の措置があるかどうか、2024年5月現在未定となっている。

借り入れ額別、住宅ローン減税の１年目の控除額

住宅ローン借入額別・金利別の住宅ローン減税の1年目の控除額

借入額		1年目の年末ローン残高	控除額
2000万円	金利1.8% 金利0.5%	1959万円 1947万円	13万7101円 13万6290円
3000万円	金利1.8% 金利0.5%	2938万円 2921万円	20万5652円 20万4470円
4000万円	金利1.8% 金利0.5%	3918万円 3895万円	27万4203円 27万2650円
5000万円	金利1.8% 金利0.5%	4897万円 4868万円	34万2754円 34万 760円

※2024年1月返済開始、返済期間35年、元利均等返済の場合
※年末ローン残高や控除額は概算

借りた金額は同じでも、金利が低いほうが年末ローン残高が少ないため、控除額も少なくなります。でも、利息の支払いが少ない分、低金利のほうがトータルコストは小さいといえます。

KEYWORD

転勤した場合の住宅ローン減税

転勤で家族全員で引っ越ししてしまうと住宅ローン減税は受けられなくなる。ただし、適用期間中に戻ってくれば残りの期間は適用に。国内単身赴任の場合は家族が引き続き居住していれば期間中ずっと適用される。

Question 72
共働きなら住宅ローン減税は2人分使えるの？

**1人で住宅ローン減税を受けるより
共働きなら2人のほうがトクなこともあります**

　共働きで夫も妻も所得税を納めている世帯では、それぞれに住宅ローンを借りて、住宅ローン減税を受けることができます。夫1人で借りる場合も夫婦で借りる場合も同じ借入額だとすると、住宅ローン減税を受けるのが1人のときと2人のときと、どちらが戻ってくる金額が多くなるかはケースバイケースです。

　夫が1人で借りた場合に、所得税と住民税で控除額が引き切れない場合は、妻と2人でローンを組んで、ダブルでローン減税を受けたほうが控除額の合計が多くなります。

　注意したいのは2人でローンを組んで、どちらかが返済途中で仕事を辞めた場合。辞めて所得税がなくなれば、控除は受けられません。また、妻の借りたローンを夫が返済すると夫から妻への贈与とみなされて贈与税の課税対象となることがあります。2人で控除を受けるなら控除期間中は共働きを続けるようにしたほうがいいでしょう。

ここが大切！

2人がそれぞれに住宅ローンを借りたり、1本のローンでも連帯債務になれば住宅ローン控除をダブルで受けられる。1人で借りる場合と、2人で借りる場合、どちらがトクになるかはケースバイケースだ。

どちらかが仕事を辞めて収入がなくなり、所得税が課税されなくなると、住宅ローン減税の恩恵は受けられなくなる。辞める時期や控除額によっては、最初から1人で控除を受けたほうがトクな場合もある。

2人がそれぞれに住宅ローンを組む場合、事務手数料や印紙代などの諸費用が多くかかることになる。その分を差し引いても、住宅ローン減税でメリットがでるかどうかを確認しておく必要がある。

住宅ローン減税を夫婦で受けると、控除される税金はいくらになる？

 CASE 1

夫が1人でローンを組み、住宅ローン減税も1人で受ける

入居した年の年末ローン残高が3000万円の場合、控除額は最大**21**万円

実際の控除額は？

夫の所得税額が**30万**の場合	所得税から21万円が控除される
20万の場合	所得税から20万円、住民税から1万円が控除されて合計額は21万円
10万の場合	所得税から10万円、住民税から9万7500円が控除されて合計控除額は19万7500円

> 所得税と住民税の合計が10万円未満の場合、控除額が全額戻ってこないことも

 CASE 2

夫婦がそれぞれローンを組み、住宅ローン減税もそれぞれに受ける

入居した年の年末ローン残高が1500万円ずつの場合、控除額は最大10万5000円ずつで、合計で最大**21**万円

実際の控除額は？

夫婦の所得税額がそれぞれ**30万**の場合	所得税から1人10万5000円が控除され、合計控除額は21万円
それぞれ**20万**の場合	所得税から1人10万5000円が控除され、合計控除額は21万円
それぞれ**10万**の場合	所得税から1人10万円、住民税から1人5000円が控除され、合計控除額は21万円

> 2人で控除を受けるほうが多く戻ってくることもある

KEYWORD

途中で転勤になったら？

単身赴任であればローン減税は受けられる。家族全員で引っ越す場合、転勤期間中は受けられない。ただし、控除期間中に戻ってくると、空き家にしていた場合はその年から、賃貸に出していた場合は翌年から減税される。

第6章

家が完成したあとに払うお金・もらえるお金

205

Question 73

ペアローンを利用すると贈与税の課税対象になることがある？

ローンの負担と住宅の持分を合わせないと
みなし贈与とみなされる場合があります

　共働きの夫婦が住宅を取得する際、それぞれが住宅ローンを借り入れるのがペアローンです。2本のローンを借りるため、事務手数料や印紙代などが2倍になりますが、一人で借りるよりも借入額を増やせるなどのメリットがあります。また住宅ローン減税もダブルで受けられるケースがあります。

　しかし、気をつけたいのは贈与税。ローンや頭金の負担分と、住宅の持分割合を同じにしなければ、贈与税が発生する可能性があります。例えば、右頁の例のように、5000万円の住宅を、夫3000万円、妻2000万円のローンで建てたのに、持分が1：1の場合、妻の持分との差額の500万円が夫からの贈与とみなされると課税対象になるのです。

　その他、ローン返済中に借り換えや繰り上げ返済をした場合も、贈与税が課税されるケースがあるので注意が必要です。

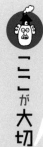

ここが大切！

住宅の所有権の割合を示すのが持分割合。夫婦でお金を出し合って家を建てる場合、夫の出資分と妻の出資分の割合と、住宅の持分割合を同じにすること。住宅ローン控除で損をすることもある。

ペアローンを返済中に、どちらかの単独名義の住宅ローンにまとめて借り換えた場合も要注意。例えば、夫が残債全てを借り換えると、妻の分の残債分が夫から妻へ贈与があったとみなされる。

ペアローンを返済中に、自分の残債ではない分を繰り上げ返済した場合も注意が必要。例えば、妻名義のローンのうち、基礎控除の110万円を超える金額を夫が繰り上げ返済すると贈与税の対象になる。

住宅ローン借入額と住宅の持分割合が違うとどうなる？

夫婦がそれぞれに借りた住宅ローンの場合

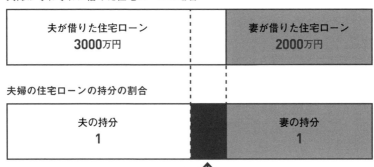

夫が借りた住宅ローン 3000万円	妻が借りた住宅ローン 2000万円

夫婦の住宅ローンの持分の割合

夫の持分 1		妻の持分 1

↑

夫と妻の住宅ローンの借入額には差があるのに、
住宅の持分は1：1となっている場合、妻の持分
の一部が、夫のからの贈与とみなされて贈与税
が課税される場合がある

住宅ローンの借入額だけでなく、頭金も
要注意。夫か妻、どちらかが独身時代に
貯めたお金を頭金にした場合、その分は
お金を出した人の名義にしましょう。

KEYWORD

みなし贈与

本来の「贈与」は、当事者に「贈与した」「贈与された」という認識があるもの。
しかし、「贈与の意図がなくても、贈与が行われた」とみなされる行為もあり、
それを「みなし贈与」という。

Question 74
住宅ローン減税を受けるにはどこでどんな手続きが必要？

**入居の翌年には確定申告で手続きを。
必要書類は早めに揃えておきましょう**

　住宅ローン減税の適用を受けるには、入居の翌年に確定申告が必要。必要書類をそろえて税務署に持参すれば、ていねいに教えてくれるので心配はいりません。分からないことや不安なことがあれば、あらかじめ電話などで税務署に問い合わせたり、相談会に参加するといいでしょう。

　住宅ローン減税を受けられる期間は2024〜2025年入居なら10年間。サラリーマンなど給与所得者の場合は、1年目に確定申告をすれば、2年目以降からは勤務先の年末調整で控除が受けられます。ただし、個人事業主や自営業の人など、普段から確定申告で所得税の申告をしている人は、控除が受けられる期間は毎年申告をすることになります。毎年、税務署から確定申告用紙が送られてくる人でも、住宅ローン減税用の書類は同封されていない場合がほとんどなので、連絡をして送付してもらうか、国税庁のWebサイトからダウンロードするといいでしょう。

ここが大切！

住宅ローン減税の適用を受けるには、入居の翌年に確定申告をすることが必要。給与所得者は2年目以降は勤務先の年末調整で還付が受けられるが、1年目は書類を揃えて税務署で手続きをする。

マイナンバーカード読取対応のスマホでの確定申告も便利。工事請負契約書や登記事項証明書などの書類の郵送またはPDFでの送信（e-Taxの場合）が必要なので早めに準備をしておこう。

うっかり申告を忘れてしまった場合、還付申告は課税対象期間の翌年から5年後まで申告が可能だ。面倒だからと申告をやめたり、あきらめたりしないで、早めに税務署に相談しよう。

住宅ローン減税の申告に必要な書類を確認しよう

取りに行く書類

<税務署>
確定申告の
用紙一式

<市町村役場・区役所など>
マイナンバーカードの写し、
または、マイナンバー付き
住民票と身元確認書類

<登記所など>
土地建物の
全部事項証明書

持っている書類

住宅ローンの
年末残高等証明書

工事請負契約書または
売買契約書のコピー
源泉徴収票

金融機関から
届く書類

書類が揃ったら入居の翌年3月15日までに確定申告を

税務署

第6章

家が完成したあとに
払うお金・もらえるお金

KEYWORD

住宅ローン減税の申告時期

所得税の確定申告は原則翌年の2月16日〜3月15日の1カ月が申告時期。た
だし住宅ローン減税で所得税の還付を受ける場合は1月からでも申告が可
能だ。3月は年度末で仕事が忙しいという人は早めに申告してしまおう。

Question 75 親からの資金援助が非課税になる制度って？

住宅取得資金の贈与が一定額まで非課税に
非課税枠は契約時期で変わります

　たとえ親からの資金援助でも、年間の基礎控除額110万円を超えると贈与税がかかります。でも、住宅取得資金の贈与の場合は、特例で非課税枠が設けられています。18歳※以上の人が親や祖父母から住宅取得資金の贈与を受けた場合に利用できるのが「住宅取得資金の非課税制度」です。非課税になる金額の上限は住宅の性能によって違いますから、右頁を参照してください。「住宅取得資金の非課税制度」は、110万円の基礎控除額、または2500万円まで贈与税非課税の相続時精算課税制度（212頁）と併用することが可能。併用する場合、2026年12月31日までの契約なら一般住宅で最大3000万円まで贈与税が非課税になります。

　制度を利用するためには、贈与を受けた年の翌年の2月1日から3月15日までの間に、税務署に申告をする必要があります。住民票（市役所や区役所）や家の登記事項証明書（登記所）などが必要ですから、早めに書類の準備をしておきましょう。

ここが大切！

住宅取得資金の非課税制度は基礎控除（暦年課税）と併用することが可能。2026年12月までの契約なら、一般住宅は610万円、良質な住宅の場合は1110万円までが贈与税非課税になる。

2004年度税制改正で良質な住宅の省エネ性能要件は省エネ基準適合住宅からZEH水準に強化。ただし、2023年末までに建築確認を受け2024年6月末までに建築された場合は旧水準のまま。

相続時精算課税制度と併用した場合、2026年12月までに契約した一般住宅なら3000万円、良質な住宅なら3500万円まで贈与税非課税。ただし、相続時精算課税制度の分は、将来の相続発生時に相続税の課税対象になる。

住宅取得資金が贈与税非課税になる制度を知っておこう

贈与税が非課税になる住宅資金贈与の限度額

良質な住宅※	1000万円
一般住宅	500万円

+

基礎控除	110万円

※省エネ性、耐震性、バリアフリー性のいずれかについて一定の基準を満たしている住宅のこと

主な適用条件

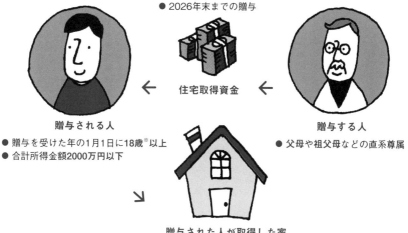

● 2026年末までの贈与

住宅取得資金

贈与される人
● 贈与を受けた年の1月1日に18歳※以上
● 合計所得金額2000万円以下

贈与する人
● 父母や祖父母などの直系尊属

贈与された人が取得した家
● 贈与を受けた翌年3月15日までに
　贈与された資金で取得し、入居
● 登記簿上の床面積40㎡以上240㎡以下

※2022年4月1日以降の贈与の場合

KEYWORD

特 定 贈 与 財 産

贈与税の配偶者控除では、婚姻関係が20年以上ある夫から妻、または妻から夫への住宅や住宅の取得資金の贈与は2000万円までが贈与税非課税。贈与税の配偶者控除額に相当する受贈額を特定贈与財産という。

2500万円まで贈与税非課税の相続時精算課税制度って？

親からの生前贈与が2500万円まで贈与税非課税。
2024年1月からは基礎控除年110万円が追加に

　親または祖父母が、子または孫に生前贈与した財産が、累計2500万円まで贈与税がかからない「相続時精算課税制度」。これは、親または祖父母が贈与の年の1月1日時点で60歳以上、贈与される人が18歳以上の場合に使える制度。現金だけでなく不動産や株券なども対象で、贈与された側の使い道は自由です。2024年1月からは年110万円の基礎控除も認められることになりました。

　なお、2500万円を超えた分からは一律20%の贈与税がかかります。また、「相続時精算課税」という名の通り、相続が発生したときには生前贈与された財産の価額が相続財産として加算され、相続税の対象に。相続税が発生しそうな人は注意しましょう。

　贈与や相続にかかわる税制に関しては、いずれ段階的に見直される可能性はゼロではありません。今後の税制改正について注目しておくことが大切です。

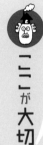

ここが大切！

将来の相続財産が基礎控除を超えそうな場合は相続税が発生する可能性があるので注意しよう。相続税が発生しそうなら相続時精算課税制度が節税に有効かどうかを税理士に相談したほうが無難。

夫婦がそれぞれの親から資金援助を受けると、合計5000万円までが相続時精算課税制度で贈与税非課税になる。その場合、住宅取得費のうちの、贈与額と借入額の割合に応じた共有名義にすること。

相続時精算課税制度選択後は、その贈与者からの贈与は基礎控除額以下でも申告が必要。ただし、2024年以降の贈与からは相続時精算課税制度においても年間110万円以下は申告不要に。

相続時精算課税制度の仕組みをCASEで見てみよう

CASE

生前贈与の金額が2500万円以下なので相続時精算課税制度を選択すると贈与税はかからない

2110万円の贈与
基礎控除110万円＋特別控除2000万円なので贈与税ゼロ

累計2500万円を超えたので、以降の生前贈与には一律20%の贈与税がかかる

1000万円の贈与
基礎控除110万円＋特別控除810万円。
特別控除の累計2500万円を超えた310万円に課税

贈与税62万円

相続が発生
これまでに親から受けた生前贈与の累計2810万円を、
相続財産に加算して相続税を計算。
相続税が発生した場合は、過去に贈与税として62万円納めているので
相続税額から62万円をマイナスした金額が納税額

相続税がかからない人には、贈与税を節税できる相続時精算課税制度。しかし、相続税の基礎控除額が 2015 年に縮小したことで、課税対象者は以前より増えているので注意しましょう。

KEYWORD

贈与の翌年3月15日までに入居
相続時精算課税制度で親の年齢制限がない住宅取得資金の特例を利用する場合、贈与の翌年3月15日までに住宅の引き渡し・入居をすることが要件になる。竣工がぎりぎりにならないよう着工時期に注意したい。

Question 77 親から住宅取得資金の 援助があるときの注意点は？

**いくらまで贈与税非課税なのかを確認。
贈与税の申告も忘れずに**

　住宅取得資金を「もらう」場合、どの制度で節税すればいいか
は、支援してもらえる金額を確認。110万円以下の場合は基礎控
除内ですから贈与税はかからず、申告も不要。610万円（省エネ、
耐震、バリアフリー住宅は1110万円）以下なら住宅取得資金贈
与の特例が、610万円（同1110万円）超の場合は相続時精算課
税制度を併用することで3110万円（同3610万円）までが贈与税
は非課税です。

　住宅資金を親から「借りる」場合、贈与税は関係ありません。
しかし、きちんと返済しなければ贈与とみなされて課税される可
能性があります。大切なのは返済の証拠を残しておくこと。手渡
しでの返済ではなく、金融機関の口座に振り込んで履歴を明確に
しておきましょう。また、借用書や金銭消費貸借契約書などを作
り、一定の金利をつけて返済すること、親の年齢を考えて常識的
な返済期間を設定することも大切です。

ここが大切！

家を建てた後で、親から
お金をもらった場合、相
続時精算課税制度が活
用できる。贈与税非課
税の2610万円までを
住宅ローンの繰り上げ
返済に使えば、住宅取
得資金を贈与してもらっ
たのと同じことになる。

相続時精算課税制度は
不動産の贈与も対象。評
価額が2610万円以下の
住宅を親が建てて、子
どもに生前贈与するとい
う方法もある。評価額は
建築費よりも低くなるの
で、資金を贈与するより
節税になる場合も。

親から借りる場合、借り
た本人が死亡したり、高
度障害で働けなくなった
りしたときに、親に残金
を返済できるよう生命保
険に加入しておきたい。
親への借金だけが残る
と、遺族が肩身の狭い
思いをすることがある。

援助額によって節税に効果的な制度や特例は違う

贈与が**110万円**以下	基礎控除内なので贈与税はかからない
贈与が**610万円**以下 または**1110万円**以下※1	親や祖父母からの住宅取得のための資金贈与で、 贈与される人の合計所得金額が 2000万円※2以下なら 贈与税は非課税
贈与が**610万円**超 または**1110万円**超※1	親からの生前贈与で相続時精算課税制度を 併用した場合、3610万円※1までは贈与税はかからない （場合によっては節税にならないので税理士に相談を）

※1 省エネ性、耐震性、バリアフリー性のいずれかを満たす住宅の場合(210頁)
※1 2026年末までの贈与の場合
※2 床面積40㎡以上50㎡未満は1000万円

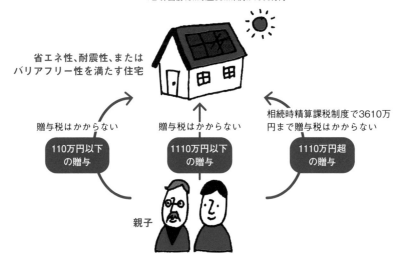

省エネ性、耐震性、または
バリアフリー性を満たす住宅

贈与税はかからない
**110万円以下
の贈与**

贈与税はかからない
**1110万円以下
の贈与**

相続時精算課税制度で3610万
円まで贈与税はかからない
**1110万円超
の贈与**

親子

KEYWORD

住宅取得資金の贈与があった場合の名義

注意したいのは住宅の名義。夫婦で援助を受けたのに、名義を例えば夫の
みにすると、妻の親からの資金は妻から夫への贈与となり110万円を超え
る分に贈与税がかかる。出資割合に応じた共有名義にしよう。

Question 78
土地の相続税の節税に有効なのはどんな家？

**二世帯住宅など親子で同居すれば
「小規模宅地等の特例」で節税できます**

　2015年1月1日以降、相続税の基礎控除額が、それまでの5000万円＋（1000万円×法定相続人の数）から、3000万円＋（600万円×法定相続人の数）へ大幅に下がりました。そのため、以前は相続税の課税対象にならなかった人も課税されることに。特に、東京23区や大都市の都心部など、地価の高いエリアに親が土地を持っている人は要注意です。

　そこで注目したいのが「小規模宅地等の特例」。これは、相続する土地の一定の面積までは評価額を80％カットできる制度。土地の評価額が下がれば、相続財産全体の課税対象額を大幅に下げることができます。亡くなった人の配偶者以外がこの特例を利用するには、「被相続人（亡くなった人）と同居していた」ことが条件なので、今、家づくりを考えているなら、将来の相続税対策として、親の土地に親と同居する家を建てて、「小規模宅地等の特例」を活用できるようにしておくのもひとつの方法です。

ここが大切！

配偶者以外の親族が「小規模宅地等の特例」を受けるためには、「被相続人（亡くなった人）と同居していた」「過去3年間に持ち家に住んでいない」という要件をクリアしていることが必要。

「小規模宅地等の特例」で相続税がゼロになった場合でも、相続税の申告期限までに申告書を提出する必要がある。また、相続税の申告期限までに遺産分割協議も終了している必要があるので注意。

二世帯住宅は「小規模宅地等の特例」での節税につながるが、将来の相続後、空いたほうの世帯の活用に困ることも。子どもが引き継いでくれそうか、賃貸活用できそうかなども考えておきたい。

小規模宅地等の特例で相続した土地330㎡までは評価額減

相続した土地330㎡までは相続税評価額が80％減

相続税が節税できる

「小規模宅地等の特例」は、土地を取得する相続人ごとに細かな要件があります。特例が適用になるかどうかは、所轄の税務署に相談するのがおすすめです。

KEYWORD

相続税の基礎控除

相続税は基礎控除の範囲内であれば非課税。基礎控除額は2015年1月1日に引き下げられ、3000万円＋（600万円×法定相続人の数）に。相続人が子ども2人の場合は、4200万円までが基礎控除額だ。

補助金や優遇制度には何があるの？

建てる住宅の性能や自治体によって利用できる制度があります

　省エネ住宅に対する補助金や、家を建てる自治体の独自の補助制度が受けられないか、家を建てる前に確認しておきましょう。

　例えば「2023年度 ZEH 支援事業」は、ZEH（ネット・ゼロ・エネルギー・ハウス）を建てた場合に補助金が受けられる制度。住宅の性能に応じて、「ZEH」「ZEH+」といった区分が設けられており、補助額が異なります（右頁）。

　また、数は多くはありませんが、都道府県や市区町村によっては、省エネ設備の導入や地元産木材の利用、子育て世帯の住宅取得、移住などさまざまな条件によって補助金がもらえるケースもあります。制度の名称や内容は年度によって異なりますから、各自治体のホームページなどで調べてみるといいでしょう。

　そのほか、認定低炭素住宅や認定長期優良住宅を建てた場合、条件を満たすことで、住宅ローン減税の控除額の上限が拡大するなどの優遇が受けられます。

ここが大切！

ZEH 支援事業で補助金をもらうには、住宅の所有者が常に居住する専用住宅であること、登録された ZEH ビルダー／プランナーが設計、建築または販売を行う ZEH であることが主な条件になる。

自治体の補助制度は年度ごとに応募の締め切りが数回設けられ、その年度の予算に達すると募集終了となるケースが多い。利用のための条件も自治体によって異なるので早めの確認が重要だ。

LCCM 住宅や長期優良住宅は、快適な暮らし心地や光熱費ダウン、税制やローン金利の優遇などメリットはいろいろ。ただし、建築コストはアップ。自分にとってトクなのかを慎重に見極めたい。

家を建てるときに利用できる補助金は？

戸建住宅ZEH化等支援事業

対象になる住宅	補助額
①ZEH	・55万円／戸
②ZEH＋	・100万円／戸
②のZEH+のうち、断熱等性能等級6以上の外皮強化	・追加補助25万円／戸
①②のZEH、ZEH＋に加え、蓄電システムを導入	・別途補助：蓄電システム2万円／kWh（上限額20万円／台）

自治体の住宅関連支援制度の例

自治体	事業名	どんな制度？
東京都	東京ゼロエミ住宅	東京ゼロエミ住宅の認証を受けると新築住宅の建築主に助成金が交付される
札幌市	札幌版次世代住宅補助制度	札幌市内で一定の基準をクリアすることで、「建築費用」に対する補助金を交付
大阪市	大阪市新婚・子育て世帯向け分譲住宅購入融資利子補給制度	大阪市内に住宅を取得する新婚世帯、子育て世帯に、住宅ローンの利子の一部を補助
名古屋市	住宅等の脱炭素化促進補助	ZEHや蓄電システム等の導入に対して補助金を交付
福岡県	ふくおか県産材家づくり推進助成制度	福岡県内で一定の基準をクリアする木造住宅を新築・購入した人に助成金を交付

※2024年5月24日時点での情報。事業予算に達した場合、年度内でも募集を終了する場合がある。詳細は各自治体にお問い合わせを

KEYWORD

ＺＥＨビルダー／プランナー

ZEH（ネット・ゼロ・エネルギー・ハウス）の新築・改修を認定された建設会社、設計事務所。2025年度の自社ZEH受注目標50％以上、または75％以上の実現を通して省エネ、省CO2化に取り組んでいる。

Question
80

将来の負担にならない
家にするにはどうしたらいい？

立地によっては売却は困難。
長く住み継いでもらう家にしましょう

　建てた家を将来どうするかは、忘れがちですが大切な課題です。売却するにしても、子どもなど親族に引き継いでもらうにしても、建てるとき、住んでいる間の対処が重要になります。

　売却するなら立地が重要。駅から近いなど利便性が高くなければ、古くなった家を売るのは簡単ではありません。家を解体して土地を売却するのも解体費用がかかります。家は、売却の可能性を第一に考えるよりも、豊かな暮らしを実現するための場所として立地を選び、長く住み継いでいけるように建てるほうが幸せな家づくりになるといえます。

　長く暮らせる家は、建て替えによる経済的な負担だけでなく、環境への負荷を減らすことにもつながります。メンテナンスコストを抑える家づくりを行い、入居後は性能を維持するメンテナンスやリフォームなどをきちんと実施することが大切です。

ここが大切！

住宅の寿命がどれくらいなのかは、環境やメンテナンスによるところが大きいため、どんな建材や構造にすれば何年もつとは一概にはいえない。住む人のメンテナンスへの意識によって左右される。

住宅会社によって、入居後の定期点検や無料・有料メンテナンスなどのアフターメンテナンス制度を用意している。長く安心できるサポート体制が整っているかを契約前に確認しておこう。

将来、建て替えや売却のために住宅を解体する場合、数百万円の解体費用や廃棄物処理費用がかかる。具体的にいくらかかるかは、建物の規模や構造、土地の条件、依頼する会社によって違ってくる。

長く住み継いでいける家にするためのポイント

メンテナンス

建物を長持ちさせるためにはこまめなメンテナンスが重要ポイント。窓と外壁の隙間から雨水が壁内に入らないようコーキングを補修したり、雨樋が枯葉などで詰まらないよう定期的に掃除をしたり、自分でできるメンテナンスもある

リフォーム

メンテナンスをしていても建物は少しずつ劣化していく。家を建てた住宅会社のリフォーム部門など、その家の工法や仕様を把握している会社と信頼関係を保ち、必要なリフォームを適切な時期に行うことで快適に長く住める家になる

改修履歴

長期優良住宅では設計や工事、アフターメンテナンス、改築工事などの「住宅履歴情報」の保存が義務づけられている。長期優良住宅ではなくても、売却や、子どもに引き継ぐ際に、いつ、どんな改修を行ったかなどの履歴があるといい

地盤や立地

家そのものの耐久性だけでなく、地盤などの外的要因も寿命に影響する。建てる前に地盤を確認し、ハザードマップで災害が起きたときの危険性を予測。危険度の高い土地は選ばない、軟弱地盤の場合はしっかり杭を入れるなどの対策が大切

可変性のある間取り

子供が巣立った後や住み継がれた後は、家族の構成も大きく変わる。個室を固定するのではなく、後から間仕切りを変更できるようにしておくことで、家族の変化にフレキシブルに対応できるつくり方や間取りとしておくことも有効です

将来を見据えた性能

日々、住宅の性能や施工技術は向上している。断熱性能や耐震性能など、30年後～50年後の標準も見据えた性能を有しておくことも大切。性能のよい家は快適さにも大きく関わるので、一歩先行く性能を有しておくことも考えておく

KEYWORD

法定耐用年数

法定耐用年数とは減価償却資産が利用に耐えられる年数のこと。木造住宅は22年だが、減価償却の計算に使われるもので建物の寿命とは関係ない。ただし、中古住宅購入で住宅ローンの可否の判断材料にされることがある。

INDEX

著者プロフィール

田方みき（たがた）

広告制作プロダクション勤務後、フリーランスのコピーライターとして活動。現在は主に、雑誌・Web で住宅にかかわる記事の取材、編集、執筆に携わる

関尾英隆（せきおひでたか）（あすなろ建築工房）

大学・大学院で建築学を専攻後、大手設計事務所に勤務。個人設計事務所として独立後、2009 年に「設計事務所＋工務店」あすなろ建築工房設立

Q&Aで簡単！
家づくりのお金の話が ぜんぶわかる本
2025

2024年11月5日　初版第1刷発行

著者　　田方みき
　　　　関尾英隆

発行者　三輪浩之

発行所　株式会社エクスナレッジ
　　　　〒106-0032　東京都港区六本木7-2-26
　　　　https://www.xknowledge.co.jp/

問い合わせ先
　　　　編集　TEL：03-3403-1381　FAX：03-3403-1345
　　　　info@xknowledge.co.jp
　　　　販売　TEL：03-3403-1321　FAX：03-3403-1829